C000300453

Alice's Adventures in Wonderland

Les aventures d'Alice au Pays des Merveilles

Langues pour tous

Collection dirigée par Jean-Pierre Berman, Michel Marcheteau et Michel Savio

ANGLAIS Série bilingue

Niveaux : ❑ facile ❑❑ moyen ❑❑❑ avancé

Littérature anglaise et irlandaise

- **Carroll (Lewis)** ❑
  Alice au pays des merveilles
- **Churchill (Winston)** ❑❑
  Discours de guerre 1940-1946
- **Cleland (John)** ❑❑❑
  Fanny Hill
- **Conan Doyle** ❑
  Nouvelles (6 volumes)
- **Dickens (Charles)** ❑❑
  David Copperfield
  Un conte de Noël
- **Fleming (Ian)** ❑❑
  James Bond en embuscade
- **French (Nicci)** ❑
  Ceux qui s'en sont allés
- **Greene (Graham)** ❑❑
  Nouvelles
- **Jerome K. Jerome** ❑❑
  Trois hommes dans un bateau
- **Kinsella (Sophie), Weisberger (Lauren)**
  Love and the City ❑
- **Kipling (Rudyard)** ❑
  Le livre de la jungle (extraits)
  Deux nouvelles
- **Maugham (Somerset)** ❑
  Nouvelles brèves
  Deux nouvelles
- **McCall Smith (Alexander)**
  Contes africains ❑
- **Stevenson (Robert Louis)** ❑❑
  L'étrange cas du Dr Jekyll et de Mr Hyde
- **H.G. Wells** ❑❑
  Les mondes parallèles
- **Wilde (Oscar)**
  Nouvelles ❑
  Il importe d'être constant ❑

Ouvrages thématiques

- **L'humour anglo-saxon** ❑
- **300 blagues britanniques et américaines** ❑❑

Littérature américaine

- **Bradbury (Ray)** ❑❑
  Nouvelles
- **Chandler (Raymond)** ❑❑
  Les ennuis c'est mon problème
- **Fitzgerald (Francis Scott)** ❑❑
  Un diamant gros comme le Ritz ❑❑
  L'étrange histoire de Benjamin Button ❑❑
- **Hammett (Dashiell)** ❑❑
  Meurtres à Chinatown
- **Highsmith (Patricia)** ❑❑
  Crimes presque parfaits
- **Hitchcock (Alfred)** ❑❑
  Voulez-vous tuer avec moi ?
  À vous de tuer
- **King (Stephen)** ❑❑
  Nouvelles
- **London (Jack)** ❑❑
  Histoires du grand Nord
  Contes des mers du Sud
- **Poe (Edgar)** ❑❑❑
  Nouvelles
- **Twain (Mark)** ❑❑
  Le long du Mississippi

Anthologies

- **Nouvelles US/GB** ❑❑ **(2 vol.)**
- **Histoires fantastiques** ❑❑
- **Nouvelles anglaises classiques** ❑❑
- **Ghost Stories – Histoires de fantômes** ❑❑
- **Histoires diaboliques** ❑❑

Autres langues disponibles dans les séries de la collection
Langues pour tous

ALLEMAND · AMÉRICAIN · ARABE · CHINOIS · ESPAGNOL · FRANÇAIS · GREC · HÉBREU
ITALIEN · JAPONAIS · LATIN · NÉERLANDAIS · OCCITAN · POLONAIS · PORTUGAIS
RUSSE · TCHÈQUE · TURC · VIETNAMIEN

ISBN 978-2-266-20360-9

LEWIS CARROLL

Alice in Wonderland
Alice au Pays des Merveilles

Traduction, notes et présentation

par

Jean-Pierre Berman
Ancien assistant à l'université de Paris IV-Sorbonne

Illustrations John Tenniel, Lewis Carroll
Photos Lewis Carroll

10e édition

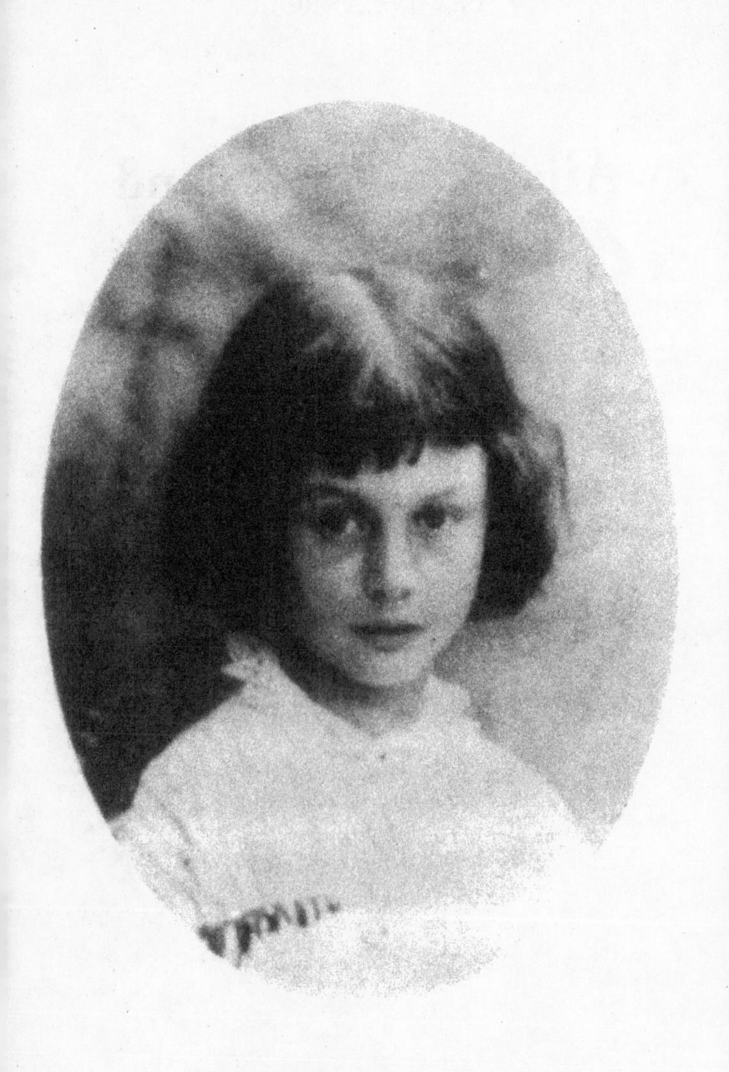

Alice Liddell, à sept ans.

Sommaire

Comment utiliser votre bilingue Lewis Carroll ?

Les ouvrages de la série « Bilingue » permettent aux lecteurs :
- d'avoir accès aux versions originales de textes célèbres, et d'en apprécier, dans les détails, la forme et le fond.
- d'améliorer leur connaissance de l'anglais, en particulier dans le domaine du **vocabulaire** dont l'acquisition est facilitée par l'intérêt même du récit, et le fait que mots et expressions apparaissent en situation dans un contexte, ce qui aide à bien cerner leur sens.

Cette série constitue donc une véritable méthode d'auto-enseignement, dont le contenu est le suivant :

- page de gauche, le texte en anglais,
- page de droite, la traduction française,
- bas des pages de gauche et de droite, une série de **notes explicatives** (vocabulaire, grammaire, rappels historiques, etc.).

Il est conseillé au lecteur de lire d'abord l'anglais, de se reporter aux notes et de ne passer qu'ensuite à la traduction ; sauf, bien entendu, s'il éprouve de trop grandes difficultés à suivre le texte dans ses détails, auquel cas il lui faut se concentrer davantage sur la traduction, pour revenir finalement au texte anglais, en s'assurant bien qu'il en a maintenant maîtrisé le sens.

■ Un index de 1000 mots vous permet de vous exercer à les retrouver dans leur contexte.

Principales abréviations

adj.	adjectif	littéral.	littéralement	prét.	prétérite
adv.	adverbe	m. à m.	mot à mot	qqch.	quelque chose
arch.	archaïsme	n.	nom		
fam.	familier	péj.	péjoratif	qn	quelqu'un
jur.	juridique	pop.	populaire	s.o.	someone
				sth.	something

Présentation

L'œuvre et la vie de Lewis Carroll (nom de plume de Charles Lutwidge Dodgson) sont le fruit d'une profonde contradiction et se situent sous le signe d'une double logique.

Une logique de la contrainte et de la conformité : fils d'un pasteur pauvre et austère, il subit à la « public school » de Rugby les rigueurs de l'éducation victorienne, après avoir été ordonné diacre à 29 ans, menant la vie apparemment terne et rangée d'un universitaire, qui, affligé depuis son enfance d'un bégaiement, enseigne sans conviction les mathématiques.

Une logique de l'évasion et de la fantaisie : dès son plus jeune âge, Charles Dodgson s'emploie à créer son propre univers baigné de fantaisie et plein d'invention. Pour ses sept sœurs et ses trois frères, il crée des spectacles de marionnettes, invente charades, devinettes, jeux divers, activités qu'il poursuivra tout au long de sa vie, de même qu'il ne cessera de se passionner pour le théâtre, la musique et le chant.

Dès l'âge de 12 ans, il commence à écrire : poésies, pièces de théâtre, chroniques familiales, articles divers. À 23 ans, il *découvre la photographie*. Il la pratique dès 1856, date à laquelle il prend le pseudonyme de Lewis Carroll. Elle lui permettra d'assouvir platoniquement, ce qui fut, à côté de l'écriture et des mathématiques, la grande passion de sa vie, *l'affection pour les petites filles*. C'est en photographiant inlassablement des centaines de ce qu'il appellait ses « petites amies » qu'il put recréer l'univers qui lui convenait, proche de ses premières années où il vivait entouré de ses sept sœurs, univers empreint de l'innocence attribuée à l'enfance mais non dépouvu, malgré la censure victorienne, d'une sensualité, parfois trouble, que l'adulte et l'artiste qu'était Lewis Carroll nous a transmis au travers de la plaque sensible.

C'est pour charmer la plus chérie de ses amies enfants, Alice Liddell, une des filles du doyen de l'université où il enseignait (Christ Church College à Oxford) qu'il réalise ses plus belles photos et écrit l'histoire d'*Alice au Pays des Merveilles*, après la lui avoir racontée au cours d'une mémorable promenade en barque (cf. p. 12).

Les notes qui accompagnent cette traduction ne se hasardent pas à évoquer de quelconques explications psychanalytiques (elles n'ont pas manqué). Elles se bornent à tenter de guider le lecteur dans le parcours labyrinthique des jeux de mots et astuces linguistiques et phonétiques, des syllogismes, paradoxes et énoncés absurdes (**nonsense**) – spécialité carrollienne – des parodies des chansons, poèmes, manuels et maniérismes de l'époque victorienne, des allusions à l'histoire d'Angleterre et à l'entourage de Charles Dodgson et d'Alice Liddell.

Quant à l'invention anthropomorphique, dont on retrouve la veine, au XXe siècle, dans les dessins animés de l'Américain Tex Avery, nous laissons au lecteur le plaisir de la découvrir ou redécouvrir dans *Alice au Pays des Merveilles*, un des ouvrages les plus traduits au monde après la Bible (cf. Bibliographie).

J.-P. B.

Chronologie biographique

1832 Le 27 janvier, naissance à Daresbury (Cheshire) de Charles Lutwidge Dodgson, le troisième d'une famille de onze enfants, dont sept sont affligés d'un bégaiement.

1840 **8 ans**. Son père, le révérend Charles Dodgson, est un homme grave et réservé, doté cependant d'un solide sens de l'humour. En témoigne une lettre pleine de fantaisie qu'il adresse à son jeune fils, à propos d'une commission (achat d'outils) dont ce dernier l'a chargé, et qui préfigure étrangement le futur délire verbal de Lewis Carroll : « ... *si on ne me les apporte pas sur-le-champ, je ne laisserai rien en vie, hormis un petit chat, dans la ville de Leeds... Et alors quel barouf ce sera... ! Les cochons et les bébés, les chameaux et les papillons rouleront ensemble dans le ruisseau – les vieilles dames grimperont dans les cheminées poursuivies par des vaches – les canards se cacheront dans les tasses à café... et finalement, on trouvera le maire de Leeds dans une assiette à soupe...* ».

1843 **11 ans**. M. Dodgson père est nommé recteur de Croft dans le Yorkshire. Charles fabrique un train pour ses frères et sœurs (accompagné d'une règle du jeu) ainsi qu'un théâtre de marionnettes.

1844-1845 **12-13 ans**. Charles fréquente l'école de Richmond. Il commence à écrire un « magazine familial », premier d'une série, "*Useful and Instructive Poetry*", dans un style parodique :

Learn well your grammar	*Apprend bien ta grammaire*
And never stammer	*Et ne bégaie pas*

1846 **14 ans**. Admis à la "public school" de Rugby, l'une des plus célèbres d'Angleterre. Il y restera sans plaisir pendant trois ans, maltraité par ses condisciples ; peu doué en sport, il remporte de nombreux prix en mathématiques, histoire et rédaction.

1849 **17 ans**. Retour à Croft, nanti d'excellentes notes en mathématiques et théologie. Il continue à publier ses « magazines familiaux ».

1850 Il écrit le **Rectory Umbrella** (*Le parapluie du rectorat*) et prépare son entrée au Christ Church College d'Oxford, où il est admis.

1851 **19 ans**. Il devient pensionnaire à Oxford, où il résidera jusqu'à la fin de ses jours. Le 26 janvier, sa mère, adorée, Francis Jane Lutwidge Dodgson, meurt à 47 ans.

1852 **20 ans**. Naissance le 4 mai d'Alice Liddell, fille du doyen de Christ Church College, sa future inspiratrice. Il obtient un premier prix de mathématiques et reçoit une bourse.

1853 **21 ans**. Isolé par son bégaiement, il a peu d'amis. Il écrit un poème, **Solitude**.

1854 **22 ans**. Obtient le diplôme de **bachelor of arts** (*Licence ès Lettres*). Il commence à tenir un *Journal* (**Diary**).

1855 **23 ans**. Nommé sous-bibliothécaire. Il propose ses divers écrits à un de ses amis, Edmund Yates, rédacteur en chef de la revue **Comic Times**.

1856 **24 ans**. Il débute un cours de mathématiques à Christ Church College, qu'il assurera jusqu'en 1881. Edmund Yates accepte son poème **Solitude** et lui demande de se trouver un nom de plume. **Dares**, abrégé de **Daresbury**, étant rejeté, Charles propose quatre noms :

1. **Edgar Cuthwellis** (anagramme de Charles Lutwidge)
2. **Edgar U.C. Westhill** (id.).
3. **Louis Carroll** (dérivé de **Lutwidge = Ludovic = Louis** et de **Charles**).
4. **Lewis Carroll**, qui est retenu par E. Yates.

Le 17 mars, il achète un appareil photographique ; le 25 avril, il prend en photo les trois filles du doyen Liddell (cf. p. 18).

1857	**25 ans**. Il sort beaucoup (théâtre, concerts) et visite de nombreuses expositions de peinture. Il admire en particulier, dans un tableau (**Titania de Sir E. Landseen**), un *lapin blanc* (cf. *Journal*, 17. 11. 1857). Il rencontre l'écrivain **W.M. Thackeray** et photographie à nouveau les enfants Liddell.
1858	**26 ans**. Apprend, le 16 janvier, à jouer aux cartes, et, le 25 janvier, invente un jeu de cartes, le **Court Circular**. Continue à photographier des petites filles.
1860	**28 ans**. Publie des ouvrages de mathématiques et une brochure sur son jeu de cartes.
1861	**29 ans**. Nouvel ouvrage de mathématiques. Ordonné diacre.
1862.	**30 ans**. Le 4 juillet, au cours d'une promenade en barque avec les sœurs Liddell (cf. p. 18.1), il invente les aventures d'Alice. Dès novembre, il commence à rédiger les « *Aventures d'Alice sous terre* » (**Alice's Adventures Underground**). Il invente un jeu de croquet (cf. p. 173).
1863	**31 ans**. Il prépare (à partir d'un traité d'histoire naturelle emprunté au doyen Liddell) des illustrations pour les aventures d'Alice. Il continue à photographier les enfants Liddell. Nombreuses sorties au théâtre.
1864	**32 ans**. Abandonne l'idée d'illustrer lui-même son livre et souhaite confier ce travail au dessinateur **John Tenniel**, célèbre pour sa contribution au magazine **Punch** et ses illustrations des fables d'Esope (dans le style du Français J.-J. Grandville). Après examen du manuscrit, Tenniel accepte la commande. Il choisit le titre définitif de son livre, "**Alice's Adventures in Wonderland**". Une ombre s'abat sur ses relations avec Mrs. Liddell qui lui refuse la permission d'inviter ses filles. Il offre à Alice son manuscrit illustré par lui-même, des *Aventures d'Alice sous terre* (cf. fac-similé, p. 278).
1865	**33 ans**. Il rencontre Alice, qui a maintenant treize ans. Il l'a trouve changée, mais « pas vraiment en mieux » (*Journal*, 11 mai).

John Tenniel

Sortie, chez l'éditeur Mac Millan, du premier exemplaire d'**Alice's Adventures in Wonderland**. Mécontent, ainsi que J. Tenniel, de la qualité de l'impression des deux mille premiers exemplaires, il réclame une réimpression.
Parution de son écrit *Dynamique d'une particule*.

1867 **35 ans**. Apprend le français. Voyage en Europe de juillet à septembre (Allemagne, Pologne, Russie, France). Ecrit un traité de mathématiques.

1868 **36 ans**. Rédige le *Cinquième Livre d'Euclide*. Mort de son père le 21 juin.

1869 **37 ans**. Sortie des versions allemandes et françaises d'Alice.

1871 **40 ans**. Achève le manuscrit de **Through the Looking-Glass** (*De l'autre côté du miroir*) qui sera illustré par J. Tenniel et sortira à Noël.

1874 **42 ans**. Prépare un long poème, **The Hunting of the Snark** (*La chasse au Snark*).

1876 **44 ans**. Publication de **The Hunting of the Snark** illustré par le dessinateur Henry Holiday.

1877 **45 ans**. Il passe ses vacances d'été au bord de la mer à Eastbourne et multiplie ses amitiés enfantines. Son bégaiement disparaît en compagnie de ses amies.

Charles Dodgson, vu par lui-même.

1879 **47 ans**. Publie *Euclide et ses rivaux modernes*. Il s'adonne de plus en plus à la photographie de petites filles très déshabillées et bientôt toutes nues.

1880 **48 ans**. Mariage d'Alice Liddell, vingt-huit ans, avec Reginald Hargreaves, dont elle aura trois fils. (Deux seront tués au cours de la guerre 14-18). Il abandonne la photographie, ayant, peut-être, été trop loin dans son goût pour les nus, au regard de la morale victorienne. Il imagine un projet pour simplifier les mandats (*Journal*, 16 nov.). Il a l'idée d'un jeu que l'on pourrait faire avec des lettres que l'on déplacerait sur un échiquier, jusqu'à composer des mots (*Journal*, 19 déc.).

1881 **49 ans**. Au bout de vingt-six ans de service, il démissionne de son poste de professeur de mathématiques.

1882 **50 ans**. Il est élu **Curator** (*administrateur*) du *foyer* (**common room**) de Christ Church College.

1886 **54 ans.** Avec l'accord d'Alice Hargreaves, publication, en fac-similé, du manuscrit original d'**Alice's Adventures Underground** (cf. p. 278). Publication de *Logique sans peine.*

1887 **55 ans**. Lewis Carroll donne un cours de logique dans une école de filles.

1890 **58 ans**. Parution d'*Alice pour les tout-petits*. Il découvre le phonographe d'Edison qu'il qualifie de nouvelle merveille, comme le fut, en 1850, la photographie.

1891 **59 ans**. Invente un système pour prendre des notes dans l'obscurité, le *nyctographe*.

1892 **60 ans**. Abandonne ses fonctions d'administrateur du foyer.

1893 **61 ans**. Publication de jeux de langage, **Syzygies and Lanrick,** et de jeux mathématiques, **Curiosa Mathematica**.

1896 **64 ans**. Publication de *Logique symbolique*, 1re partie.

1897 **65 ans**. Il prêche et fait des sermons. N'accepte plus le courrier adressé à Lewis Carroll, Christ Church.

1898 **66 ans**. Il meurt, au début de l'année, des suites d'une bronchite.

Jean-Pierre Berman est assistant à l'université de Paris IV-Sorbonne. Il a enseigné l'anglais à l'ECCIP et à l'ESE (Supélec) (1965-1975) et a été responsable des moyens audiovisuels au CELSA (Paris IV) (1971-1981).

Conseiller linguistique au Centre Georges Pompidou, il y a créé et organisé l'espace d'auto-apprentissage de langues de la Bibliothèque Publique d'Information (1975-1983). Il a été ensuite chargé de mission dans les établissements publics du Carrefour International de la Communication (1983-1986) et de la Cité des Sciences et de l'Industrie (1986-1988).

Coauteur de plusieurs ouvrages d'apprentissage de l'anglais, il est, avec Michel Marcheteau et Michel Savio, codirecteur de la collection "Les Langues pour Tous."

Alice . . .

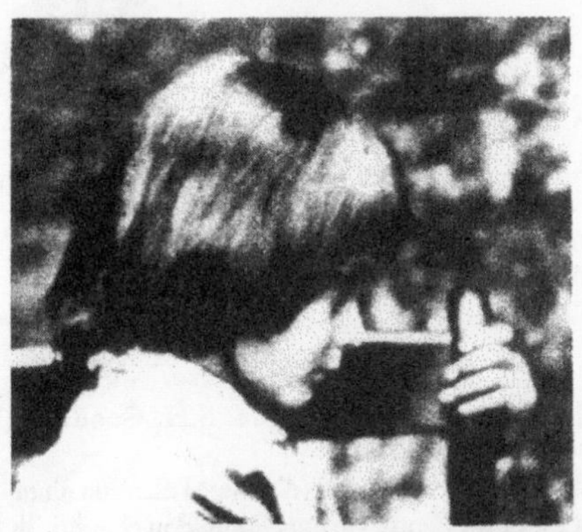

1860

1870

1932

Bibliographie

Carroll, Lewis • *Œuvres*, Robert Laffont, Coll. « Bouquins », 1989. Présentées et établies par Francis Lacassin. C'est, à ce jour, l'édition la plus complète au monde de l'ensemble des écrits de Lewis Carroll (avec notamment des traductions et études de Jean Gattégno et Henri Parisot et des traductions de Philippe Blanchard, Jeanne Bouniort, Ernest Coumet, Fanny Deleuze, Simone Lamblin, Bruno Roy).

❑ OUVRAGES CRITIQUES

Clerc, Christiane (et **J. Despinette, J. Gattégno, S.H. Goodacre, J. Pierre, P. Pitou, P. Roegiers, M. Soriano**).
• *Visages d'Alice*, Gallimard, 1979 . Les illustrateurs d'Alice, à l'occasion d'une exposition organisée par la B.P.I. du Centre Georges Pompidou et le British Council.

Collingwood, Stuart Dodgson • *The Life and Letters of the Rev. C.L. Dodgson*, T. Fisher Unwin, London, 1898 ; Gale Research Co. Detroit, 1968.
• *The Lewis Carroll Picture Book*, T. Fisher Unwin, London, 1899 ; Dover, New York, 1961, sous le titre *Diversions and Digressions of Lewis Carroll*. Deux ouvrages de base par le neveu de Lewis Carroll.

Fisher, John • *The Magic of Lewis Carroll*, Penguin, 1975. Les jeux et énigmes inventés ou utilisés par Lewis Carroll.

Gardner, Martin • *The Annotated Alice and Through the Looking-glass*, Penguin, 1965-1984. Célèbre édition commentée par un journaliste américain, auteur de jeux mathématiques.

Gattégno, Jean • *Lewis Carroll, une vie*, Seuil, 1974. Points Seuil, 1984. Une brillante biographie, en forme de puzzle, par le meilleur spécialiste français de Lewis Carroll.

Gernsheim, Helmut • *Lewis Carroll : Photographer*, Dover, New York (distribué par Constable, London, 1971). Les photos de Lewis Carroll.

Hinde, Thomas • *Lewis Carroll, Looking-Glass Letters*, Collins & Brown, 1991. Une biographie superbement illustrée, conçue à partir de lettres de Lewis Carroll.

Hudson, Derek • *Lewis Carroll, an illustrated biography*, Constable, London, 1954. La biographie illustrée de référence.

Parisot, Henri • *Cahier Lewis Carroll*, L'Herne, Paris, 1971. Un numéro spécial présenté par Henri Parisot, traducteur de l'ensemble de l'œuvre de L. Carroll (v. plus haut).

Weaver, Warren • *Alice in many tongues : the translations of Alice in Wonderland*, University of Texas, 1964. Une étude fascinante sur les 42 versions étrangères d'*Alice* (avec une *Alice* noire en swahili).

Williams, Sidney Herbert & Madan, Falconer • *The Lewis Carroll Handbook* (revu par R. L. Green et révisé par Denis Crutch,Dawson, Archon Books), 1979. Un ouvrage de référence de base.

All in the golden afternoon [1]
Full leisurely we glide;
For both our oars, with little skill,
By little arms are plied,
While little hands make vain pretence [2]
Our wanderings to guide.

Ah, cruel Three [3]*! In such an hour*
Beneath such dreamy weather,
To beg a tale of breath too weak
To stir the tiniest feather!
Yet what can one poor voice avail
Against three tongues together?

Imperious Prima flashes forth
Her edict "to begin it"–
In gentler tone Secunda hopes
"There will be nonsense [4] *in it!"–*
While Tertia interrupts the tale
Not more *than once a minute.*

Anon [5]*, to sudden silence won,*
In fancy they pursue
The dream-child moving through a land
Of wonders wild and new,
In friendly chat with bird or beast –
And half believe it true.

---

1. **Lewis Carroll** évoque, dans ce « poème prologue », la promenade en bateau qu'il fit le 4 juillet 1862 sur la Tamise en compagnie de son ami le révérend **Robinson Duckworth** et des trois filles du **doyen Liddell**, et où, comme il l'indique dans son journal, il leur raconta, pour la première fois, *Les Aventures d'Alice sous la terre* (**underground**).
2. **pretence** : 1. (ici) *prétexte*. 2. *prétention.*

Tous dans l'après-midi doré
Nous glissons avec lenteur
Car nos deux rames sont maniées
Par de petits bras maladroits
Tandis que de petites mains font semblant
De guider notre vagabondage.

Oh ! Cruelle Triade ! En une pareille heure,
Sous un temps si plein de rêves,
Demander un conte à quelqu'un dont le souffle
Est trop faible pour agiter la plus minuscule des plumes !
Mais que peut faire une seule voix
Contre trois langues réunies ?

L'impérieuse Prima lance d'abord
Son édit : « On commence une histoire » :
Sur un ton plus doux Seconda souhaite
« Qu'il y ait de l'extravagance ! »
Tandis que Tertia n'interrompt
Pas plus d'une fois par minute.

Bientôt, soudain gagnées par le silence,
En imagination elles poursuivent dans un rêve
Une enfant, qui, dans un pays
Aux merveilles étranges et inconnues,
Bavarde en amie avec bêtes et oiseaux –
Et elles croient presque que tout cela est réel.

---

3. Allusion aux trois sœurs **Liddell** : **Prima**, pour **Lorina Charlotte**, l'aînée âgée de treize ans, **Secunda** pour **Alice**, la cadette, dix ans et **Tertia** pour **Edith**, la plus jeune, huit ans (v. photo p. 11)
4. **nonsense** : 1. (ici) mot clé dans l'œuvre de **Carroll**, *l'absurde, l'absurdité, l'extravagance.* 2. *ânerie, sottise, balivernes, sornettes.*
5. Emploi archaïque et humoristique ; *bientôt, tout à l'heure.*

And ever, as the story drained[1]
The wells of fancy dry,
And faintly strove[2] *that weary*[3] *one*
To put the subject by,[4]
"The rest next time–" "It is next time!"
The happy voices cry.

Thus grew the tale of Wonderland:
Thus slowly, one by one,
Its quaint[5] *events were hammered*[6] *out –*
And now the tale is done,
And home we steer[7], *a merry crew,*
Beneath the setting sun.

Alice! A childish story take,
And, with a gentle hand,
Lay it where Childhood's dreams are twined[8]
In Memory's mystic band.[9]
Like pilgrim's wither'd wreath of flowers
Pluck'd in a far-off land.

---

1. **to drain** : *assécher* ; *drainer* ; *épuiser* ; *assainir.*
2. **to strive, strove, striven** : 1. (ici) *s'efforcer.* 2. (**with, against**) *lutter contre.*
3. **weary** : 1. (ici) *fatigué, las* (c.-à-d. le conteur, L. Carroll).
4. **to put by** : *éluder, remettre* ; *mettre de côté.*
5. **quaint** : 1. *bizarre, étrange, fantasque.* 2. *baroque, suranné.* 3. *singulier, curieux.*

Et toujours, alors que l'histoire asséchait
Les puits de l'imagination
Et, que, épuisé, faiblement on s'efforçait
De remettre le conte à plus tard, avec un :
« La suite la prochaine fois... ». « C'est la prochaine fois ! »
S'écrient les voix joyeuses.

Ainsi, naquit le conte du Pays des Merveilles
Ainsi, lentement, un par un
Les étranges événements se forgèrent.
Et le conte est achevé maintenant
Et vers la maison nous voguons, un joyeux équipage
Sous le soleil couchant.

Alice ! Prends cette histoire enfantine
Et de ta douce main
Dépose-la où s'entrelacent les rêves d'enfance
Dans le ruban magique du souvenir
Pareil à la guirlande de fleurs fanées du pélerin
Cueillie en un pays lointain.

---

6. **to hammer** : 1. (ici) *forger, battre le fer, façonner, marteler.* 2. (fam.) *cogner.* 3. (U.S.) *critiquer.*
7. **to steer** 1. (ici) *naviguer, faire route* *conduire, diriger, gouverner* (bateau).
8. **to twine** : *tortiller, entrelacer* ; *se tordre* ; *s'enrouler.*
9. **band** : 1. (ici) *ruban* ; *bride.* 2. *bande, troupe* ; *compagnie.* 3. *orchestre* ; *musique.*

She took down a jar from one of the shelves as she passed (p. 26).

CHAPTER I

DOWN * THE RABBIT-HOLE

DANS LE TERRIER DU LAPIN

* **down** : adv. et prép. *vers le bas* ; **to go down,** *descendre* ; **to fall down,** *tomber* (à terre) ; **head down,** *la tête en bas* ; **downtown,** *en ville.*

Alice was beginning to get very tired of sitting by her sister on the bank[1] , and of having nothing to do: once or twice she had peeped[2] into the book her sister was reading, but it had no pictures or conversations in it, "and what is the use of a book," thought Alice, "without pictures or conversations?"

So she was considering in her own mind (as well as she could, for the hot day make her feel very sleepy and stupid) whether the pleasure of making a daisy-chain would be worth[3] the trouble of getting up and picking the daisies, when suddenly a White Rabbit with pink eyes ran close by her[4].

There was nothing so very remarkable in that; nor did Alice think it so *very* much out of the way[5] to hear the Rabbit say to itself, "Oh dear! Oh dear! I shall be too late!" (when she thought it over afterwards, it occurred to her[6] that she ought to have wondered at this, but at the time it all seemed quite natural); but when the Rabbit actually[7] *took a watch out of its waist-coat-pocket*, and looked at it, and then hurried on, Alice started to her feet[8], for it flashed across her mind that she had never before seen a rabbit with either a waist-coat-pocket, or a watch to take out of it, and burning with curiosity, she ran across the field after it, and fortunately was just in time to see it pop down[9] a large rabbit-hole under the hedge.

---

1. **bank** : 1. *bord, rive, berge.* 2. *talus.* 3. *banque.*

2. **peeped** : **to peep,** *regarder à la dérobée, jeter un coup d'œil fugitif*; **peeping-tom,** *voyeur.*

3. **to be worth the trouble** : *valoir la peine* ; **to be worth** gouverne la forme en **-ing** ; ex. : **this book is worth reading,** *ce livre vaut (la peine) d'être lu.*

4. **ran close by her** : *passa près d'elle en courant* : c'est une des

Alice commençait à en avoir assez d'être assise sur le talus près de sa sœur à ne rien faire : une fois ou deux elle avait glissé un œil sur le livre que lisait sa sœur, mais il n'y avait dedans ni image ni dialogue, « et à quoi sert un livre », pensait Alice, « sans images ni dialogues ? »

Elle se demandait (autant qu'elle le pouvait, car la chaleur de cette journée lui engourdissait quelque peu l'esprit) si le plaisir de fabriquer une guirlande de pâquerettes valait la peine de se lever pour aller les cueillir, quand soudain un Lapin Blanc aux yeux roses passa près d'elle en courant.

Il n'y avait rien de tellement remarquable là-dedans ; et Alice ne trouva pas non plus *tellement* surprenant d'entendre le Lapin se dire à lui-même : « Mon Dieu, mon Dieu ! Je vais être en retard ! » (Plus tard, en y réfléchissant, il lui vint à l'esprit qu'elle aurait dû s'en étonner, mais sur le moment cela lui parut tout à fait naturel) ; mais quand le Lapin *tira vraiment une montre de la poche de son gilet*, et la consulta, puis pressa le pas, Alice se leva tout d'un coup, car l'idée lui traversa subitement l'esprit qu'elle n'avait jamais vu auparavant un lapin pourvu d'un gilet à poche, dont on pouvait extraire une montre ; et, brûlant de curiosité, elle courut à sa poursuite à travers le champ, et arriva juste à temps pour le voir se glisser dans un terrier de grande dimension situé sous la haie.

---

caractéristiques de l'anglais d'employer un adverbe (**close by**) après un verbe pour en préciser ou modifier le sens ; très souvent, cet adverbe est rendu en français par un autre verbe.

5. **out of the way** : (ici) *insolite, extraordinaire, écarté, loin de tout.*

6. **it occurred to her** : *il lui vint à l'idée, elle s'avisa que.*

7. **actually** : *effectivement, réellement*; ▲ *actuellement*, **nowadays, at the present time.**

8. **to start to one's feet** : *se lever d'un bond* ; **to start**, *tressaillir, sursauter* ; *commencer.*

9. **to pop-down** : *se glisser à l'intérieur*, **to pop**, *éclater, faire sauter* ; **to pop in**, *entrer à l'improviste.*

In another moment down went[1] Alice after it, never once considering how in the world she was to get out again.

The rabbit-hole went straight on like a tunnel for some way[2], and then dipped suddenly down[3], so suddenly that Alice had not a moment to think about stopping herself before she found herself falling down a very deep well[4].

Either the well was very deep, or she fell very slowly, for she had plenty of time as she went down to look about her, and to wonder[5] what was going to happen next. First, she tried to look down[6] and make out[7] what she was coming to, but it was too dark to see anything; then she looked at the sides of the well, and noticed that they were filled with cupboards and book-shelves: here and there she saw maps and pictures hung[8] upon pegs[9]. She took down a jar from one of the shelves as she passed; it was labeled "ORANGE MARMALADE", but to her great disappointment it was empty: she did not like to drop the jar for fear of killing somebody, so managed to put it into one of the cupboards as she fell past it[10].

"Well!" thought Alice to herself. "After such a fall as this, I shall think nothing of tumbling down stairs! How brave they'll all think me at home! Why, I wouldn't say anything about it, even if I fell off the top of the house!" (Which was very likely true).

---

1. **down went Alice** : certains adverbes (**down it, out, up, back over,** etc.) peuvent être placés en tête de phrase et sont suivis du verbe + nom sujet. Si le sujet est un pronom, l'ordre est adverbe + pronom + verbe, on aurait ici : **down she went.**
2. **for some way** : m. à m., *pendant une certaine distance.*
3. **dipped sudenly down** : m. à m., *plonger brusquement en bas* d'où, *s'enfonca à pic.*

Un instant après, Alice s'y engouffrait sur ses traces, sans envisager une seconde comment elle allait pouvoir en ressortir.

Le terrier se prolongeait d'abord tout droit comme une galerie, puis le sol plongea soudainement, si soudainement qu'Alice n'eut pas le temps de penser à s'arrêter avant de se voir tomber dans ce qui semblait être un puits très profond.

Ou bien ce dernier était très profond, ou elle tombait très lentement, car elle eut tout le temps, pendant sa chute, de regarder autour d'elle et de se demander ce qui allait se produire ensuite. D'abord, elle essaya de regarder en dessous d'elle et de distinguer ce qu'était sa destination, mais il faisait trop sombre pour voir quoi que ce fût : puis examinant les parois du puits, elle vit qu'elles étaient pourvues çà et là de placards et d'étagères ; çà et là des cartes et des tableaux étaient suspendus à des crochets. Au passage elle attrapa un pot sur l'une des étagères : il était étiqueté : « MARMELADE D'ORANGE », mais, à sa grande déception, il était vide ; elle ne voulut pas le lâcher, de crainte de tuer quelqu'un au-dessous d'elle, et s'arrangea pour le reposer dans l'un des placards alors qu'elle passait devant en continuant à tomber.

« Eh bien », se dit Alice, « après une telle chute, dégringoler dans l'escalier ne me fera pas peur ! Comme ils vont me trouver brave à la maison ! Ma foi, même si je tombais du toit, je n'en dirais rien ! » (ce qui était plus que probable).

---

4. **well** : *puits* ; **to well out**, *jaillir, sourdre.*
5. **to wonder** : (ici) *se demander* ; *s'étonner, s'émerveiller.*
6. **to look down** : (ici) *regarder en bas* ; également, *dominer* (un paysage). Fam. *regarder de haut.*
7. **make out** : (ici) *comprendre, discerner* ; également, *établir, dresser* (liste), *tirer* (un chèque) ; *prouver.*
8. **hung** : p. passé de **to hang**, *suspendre, accrocher.*
9. **peg** : m. à m. *patère, piquet.*
10. **as she fell past it** : *alors qu'elle passait devant en tombant* (on traduit la postposition adverbiale **past** par un verbe, *passait*).

Down, down, down. Would the fall *never* come to an end? "I wonder how many miles I've fallen by this time?" she said aloud. "I must be getting somewhere near the centre of the earth[1]. Let me see: that would be four thousand miles down, I think –" (for, you see, Alice had learnt several things of this sort in her lessons in the schoolroom, and though this was not a *very* good opportunity[2] for showing off[3] her knowledge, as there was no one to listen to her, still it was good practice to say it over) " – yes, that's about the right distance – but then I wonder what Latitude or Longitude I've got to," (Alice had no idea what Latitude was, or Longitude either, but thought they were nice grand[4] words to say.)

Presently[5] she began again. "I wonder if I shall fall right[6] *through* the earth! How funny it'll seem to come out among the people that walk with their heads downwards! The Antipathies[7], I think – " (she was rather glad there *was* no one listening, this time, as it didn't sound at all the right word) " – but I shall have to ask them what the name of the country is, you know. Please, Ma'am, is this New Zealand or Australia?" (and she tried to curtsey as she spoke – fancy[8] *curtseying* as you're falling through the air! Do you think you could manage it?) "And what an ignorant little girl she'll think me! No, it'll never do to ask; perhaps I shall see it written up somewhere."

---

1. **the centre of the earth** : le thème d'une descente au centre de la Terre avait déjà été posé dans l'Antiquité (Plutarque, 50 ans ap. J.-C.), puis par Bacon (1561-1626) et Voltaire (1694-1778) après avoir été scientifiquement traité par Galilée (1564-1642). Lewis Carroll reprend à son tour cette hypothèse comme le feront L. Frank Baum dans *Dorothy & the Wizard in Oz* et Jules Verne (1828-1909) dans *Voyage au centre de la Terre* (1864).

Vers le bas, le bas, le bas. Cette chute ne prendrait-elle donc *jamais* fin ? « Je me demande de combien de kilomètres je suis tombée à l'heure qu'il est ? » dit-elle à haute voix. « Je dois arriver quelque part près du centre de la Terre. Voyons : cela devrait faire, je crois, 6 000 kilomètres... » (car, voyez-vous, Alice avait appris plusieurs choses de ce genre dans ses leçons à l'école, et, bien que ce ne fût pas une *très* bonne occasion d'étaler son savoir, étant donné qu'il n'y avait personne pour l'écouter, c'était quand même un bon exercice de le répéter). « Oui, c'est environ la distance exacte – mais alors je me demande quelles Latitude et Longitude j'ai pu atteindre ? » (Alice n'avait pas la moindre idée de ce qu'était la Latitude, pas plus que la Longitude, mais elle trouvait que c'étaient des mots impressionnants et agréables à prononcer.)

Bientôt elle reprit : « Je me demande si je vais traverser la Terre *de part en part* ! Comme ce serait drôle de ressortir parmi les gens qui marchent la tête en bas, les Antipathiques, je crois »(elle était, cette fois-ci, plutôt contente qu'il n'y *eût* personne pour l'écouter, car cela ne semblait pas du tout être le mot juste). « Mais il me faudra leur demander le nom de leur pays. Pardon, madame, c'est la Nouvelle-Zélande ou l'Australie, ici ? » (et, tout en parlant, elle essaya de faire une révérence – figurez-vous ça, *faire la révérence*, alors que vous tombez dans le vide ! Croyez-vous que vous pourriez vous en sortir ?), « Et pour quelle petite ignorante elle me prendra si je le lui demande ! Non, cela ne servira jamais à rien de poser la question : peut-être verrai-je cela inscrit quelque part. »

---

2. **opportunity** : *occasion* ; ▲*opportunité*, **opportuneness**.
3. **to show off** : *faire étalage* ; *s'étaler, s'afficher, parader.*
4. **grand** : *impressionnant, grandiose, important* ; *principal.*
5. **presently** : *bientôt, tout à l'heure* ; *présentement* (U.S.).
6. **right** : adv. ; *droit* ; **right through**, *en plein de travers, de part en part.*
7. **the antipathies** : jeu de mots sur **antipathy**, *antipathie* et **antipodes**, les antipodes.
8. **fancy** : *figurez-vous ça ! imaginez un peu !* cf. p. 37,8.

Down, down, down. There was nothing else to do, so Alice soon began talking again. "Dinah'll miss me[1] very much to-night, I should think!" (Dinah[2] was the cat.) "I hope they'll remember her saucer of milk at tea-time. Dinah, my dear, I wish you were down here with me! There are no mice[3] in the air, I'm afraid, but you might catch a bat, and that's very like a mouse, you know. But do cats eat bats, I wonder?" And here Alice began to get rather sleepy, and went on saying to herself, in a dreamy sort of way, "Do cats eat bats ? Do cats eat bats?" and sometimes, "Do bats eat cats?" for, you see, as she couldn't answer either question, it didn't much matter which way she put it. She felt that she was dozing off[4], and had just begun to dream that she was walking hand in hand with Dinah, and saying to her very earnestly[5], "Now, Dinah, tell me the truth: did you ever eat a bat?" when suddenly, thump thump! down she came upon a heap of dry leaves, and the fall was over[6].

Alice was not a bit hurt, and she jumped up on to her feet in a moment: she looked up, but it was all dark overhead; before her was another long passage, and the White Rabbit was still in sight, hurrying down it. There was not a moment to be lost: away went Alice like the wind, and was just in time to hear it say, as it turned a corner, "Oh my ears and whiskers[7], how late it's getting!"

---

1. **Dinah'll miss me** : m. à m. *Dinah me regrettera.* Noter les différents sens de **to miss** : 1. (ici) *s'ennnuyer de, regretter*, ex. : **I miss you**, rendu par *vous me manquez, je m'ennuie de vous.* 2. *manquer, rater* (avion, etc.). 3. *ne pas saisir* (le sens). 4. **to be missing**, *être absent*, **(the) missing**, (*les*) *disparus.*
2. **Dinah** : nom de la chatte d'Alice Liddell, son modèle, fille du Doyen de Christ Church College ; cf. chronologie, p. 10.

Vers le bas, le bas, le bas. Il n'y avait rien d'autre à faire, aussi Alice commenca-t-elle bientôt à parler de nouveau. « Je vais beaucoup manquer à Dinah ce soir, j'en suis sûre » (il s'agissait de la chatte). « J'espère qu'on pensera à sa soucoupe de lait, à l'heure du thé. Dinah chérie, si seulement tu pouvais être ici avec moi ! Il n'y a pas de souris en l'air, je le crains, mais tu pourrais attraper une chauve-souris, ça y ressemble beaucoup, le sais-tu ? Mais les chats mangent-ils des chauves-souris ? Je me le demande. » Et ici, Alice commença à somnoler et, comme dans un rêve, poursuivit en se disant à elle-même : « Les chats mangent-ils les chauves-souris, les chats mangent-ils les chauves-souris ? » et parfois : « Les chauve-souris mangent-elles les chats ? » Car, voyez-vous, comme elle ne pouvait répondre à aucune de ces deux questions, peu importait dans quel sens elle les posait. Elle sentit qu'elle s'assoupissait, et elle venait de commencer de rêver qu'elle se promenait la main dans la main avec Dinah, et très sérieusement, lui disait : « Maintenant, Dinah, dis-moi la vérité : as-tu jamais mangé une chauve-souris ? » quand, soudain, badaboum, elle s'abattit sur un tas de bois sec et de feuilles mortes : sa chute avait pris fin.

Alice ne se fit pas le moindre mal et bondit aussitôt sur ses pieds : elle regarda vers le haut, mais c'était tout sombre au-dessus de sa tête : devant elle, il y avait un autre long couloir, et le Lapin Blanc était encore en vue, en train d'y dévaler. Il n'y avait pas un moment à perdre : Alice fila comme le vent et arriva juste à temps pour l'entendre dire, au moment où il s'engageait dans un tournant : « Par mes oreilles et mes moustaches, comme il se fait tard ! »

---

3. **mice** : pl. de **mouse**, *souris.*
4. **dozing off** : *somnolait, s'assoupissait* ; **a doze**, *un petit somme.*
5. **earnestly** : *sérieusement* ; **earnest**, *sérieux, consciencieux* ; **in earnest**, *pour de bon.* **Are you in earnest?** *C'est sérieux ?*
6. **to be over** : *être achevé, prendre fin* ; **it's all over**, *c'est fini.*
7. **whiskers** : 1. *moustaches* (chat, lapin, etc.) 2. *favoris* (homme).

She was close behind it when she turned the corner, but the Rabbit was no longer to be seen: she found herself in a long, low hall[1], which was lit up[2] by a row of lamps hanging from the roof.

There were doors all round the hall, but they were all locked; and when Alice had been all the way down one side and up the other, trying every door, she walked sadly down the middle, wondering how she was ever to get out again.

Suddenly she came upon[3] a little three-legged table, all made of solid glass; there was nothing on it except a tiny golden key, and Alice's first thought was that it might belong to one of the doors of the hall; but, alas! either the locks[4] were too large, or the key was too small, but at any rate it would not open any of them. However, the second time round, she came upon a low curtain she had not noticed before, and behind it was a little door about fifteen inches high: she tried the little golden key in the lock, and to her great delight it fitted[5]!

Alice opened the door and found that it led into a small passage, not much larger than a rat-hole: she knelt down and looked along the passage into the loveliest garden you ever saw. How she longed to get out of that dark hall, and wander about among those beds of bright flowers and those cool[6] fountains, but she could not even get her head through the doorway;

---

1. **hall** : 1. *salle*. 2. *couloir, corridor.*

2. **lit up** : *éclairé*, p. passé de **to light up**, *allumer.*

3. **came upon** : prét. de **to come upon** : *tomber sur, trouver par hasard.*

4. **lock** : 1. (ici) *fermeture, serrure*; *verrou.* 2. *écluse.* 3. (lutte) *clef,* **armlock,** *clef de bras.* 4. *boucle, mèche* (cheveux).

5. **it fitted** : prét. de **to fit** : m. à m., *aller, être à la taille,*

Elle se trouva tout près de lui quand elle passa le tournant, mais le Lapin n'était plus en vue : elle se retrouva dans une salle longue et basse, éclairée par une rangée de lampes suspendues au plafond.

Il y avait des portes tout autour de la salle mais toutes étaient fermées à clé, et quand Alice l'eut descendue d'un côté puis remontée de l'autre, essayant chaque porte, elle revint le cœur serré, et se demanda comment elle pourrait en ressortir.

Soudain, elle se trouva face à une petite table à trois pieds en verre massif ; il n'y avait rien dessus, sauf une minuscule clé en or, et la première idée d'Alice fut qu'elle pouvait appartenir à une des portes du couloir ; mais, hélas, soit les serrures étaient trop grandes, soit la clé trop petite, toujours est-il qu'elle ne put ouvrir aucune porte. Cependant, après une deuxième tentative, elle tomba sur une portière qu'elle n'avait pas remarquée auparavant, derrière laquelle se trouvait une petite porte d'environ quinze pouces de haut : elle y essaya la petite clé en or, et, à sa grande joie,elle s'y ajustait.

Alice ouvrit la porte et découvrit qu'elle menait à un passage étroit, guère plus grand qu'un trou à rat : elle s'agenouilla et aperçut, tout au bout, le plus charmant jardin que l'on eût jamais vu. Comme elle aurait voulu sortir de ce sombre couloir et se promener parmi ces parterres de fleurs éclatantes et ces fontaines rafraîchissantes ! Mais elle ne put même pas passer la tête par l'ouverture de la porte ;

s'ajuster, convenir ; cf. p. 270,3.

6. **cool** 1. *frais.* 2. *calme, flegmatique, de sang froid,* **keep cool !** *restez calme !, ne vous emballez pas !*

"and even if my head would go through," thought poor Alice, "it would be of very little use without my shoulders. Oh, how I wish I could shut up[1] like a telescope! I think I could, if I only knew how to begin." For, you see, so many out-of-the-way things had happened lately, that Alice had begun to think that very few things indeed were really impossible.

There seemed to be no use in waiting by the little door, so she went back to the table, half hoping she might find another key on it, or at any rate a book of rules for shutting people up like telescopes: this time she found a little bottle on it ("which certainly was not here before," said Alice), and round its neck[2] a paper label, with the words "drink me" beautifully printed on it in large letters.

It was all very well to say "Drink me," but the wise little Alice was not going to do *that* in a hurry. "No, I'll look first," she said, "and see whether it's marked '*poison*' or not" ; for she had read several nice little histories about children who had got burnt, and eaten up by wild beasts, and many other unpleasant things, all because they *would* not remember the simple rules their friends had taught them: such as, that a red-hot[3] poker will burn you if you hold it too long; and that, if you cut your finger *very* deeply with a knife, it usually bleeds; and she had never forgotten that, if you drink much from a bottle marked "poison," it is almost certain to disagree[4] with you, sooner or later.

---

1. **shut up** : m. à m. *se refermer ;* également *enfermer, faire taire, se taire.*
2. **neck** : 1. (ici) le *goulot* ; également 2. *cou, encolure* (chemise, etc.), *décolleté.*
3. **red-hot** : 1. *chauffé au rouge* (métal). 2. *ardent, violent.*
4. **to disagree** : *être en désaccord* (**with**, *avec*) ; *se brouiller* .

« et même si ma tête passait », pensa la pauvre Alice, « sans mes épaules cela ne servirait pas à grand-chose. Oh ! Comme je voudrais pouvoir rentrer en moi-même, comme un télescope ! Je crois que je pourrais y arriver, si je savais comment commencer ! » Car, voyez-vous, tant de choses insolites s'étaient produites récemment qu'Alice commençait à penser que bien peu de choses en vérité étaient vraiment impossibles.

Cela semblait inutile d'attendre près de cette petite porte ; elle revint donc vers la table, espérant à moitié qu'elle pourrait y trouver une autre clé, ou, en tout cas, un livre donnant les règles pour rentrer en soi-même comme un télescope ; cette fois, elle trouva une petite bouteille (« qui n'était sûrement pas là auparavant », se dit-elle) ; attachée autour de son goulot, une étiquette en papier portait ces mots, joliment imprimés en gros caractères : « Bois-moi. »

C'était bien beau de dire « Bois-moi », mais une petite fille avisée comme Alice n'allait pas s'exécuter *ainsi* à la hâte. « Non, je vais d'abord voir si le mot "*poison*" y est inscrit ou non » ; car elle avait lu plusieurs charmantes petites histoires à propos d'enfants qui avaient été brûlés ou dévorés par des bêtes sauvages, ou à qui étaient arrivées des choses désagréables, tout cela parce qu'ils ne s'*étaient* pas souvenus des règles simples que leurs amis leur avaient données, par exemple, un tisonnier chauffé au rouge vous brûlera si vous le gardez en main trop longtemps ; si vous entaillez votre doigt *très* profondément avec un couteau, en général cela saigne ; et elle n'avait jamais oublié que, si vous buvez trop d'une bouteille où est écrit « poison » il est à peu près certain que tôt ou tard le contenu vous restera sur l'estomac.

However, this bottle was not marked "poison," so Alice ventured[1] to taste it, and finding it very nice (it had, in fact, a sort of mixed flavour[2] of cherry-tart, custard[3], pine-apple, roast turkey, toffee, and hot buttered toast), she very soon finished it off[4].

"What a curious feeling!" said Alice. "I must be shutting up like a telescope."

★☆★

And so it was indeed: she was now only ten inches[5] high, and her face brightened up[6] at the thought that she was now the right size for going through the little door into that lovely garden. First, however, she waited for a few minutes to see if she was going to shrink[7] any further: she felt a little nervous about this; "for it might end, you know," said Alice, "in my going out altogether, like a candle. I wonder what I should be like then?" And she tried to fancy[8] what the flame of a candle is like after it is blown out, for she could not remember ever having seen such a thing.

After a while, finding that nothing more happened, she decided on going into the garden at once; but, alas for poor Alice! when she got to the door, she found she had forgotten the little golden key, and when she went back to the table for it, she found she could not possibly reach it: she could see it quite plainly through the glass, and she tried her best to climb up one of the table-legs, but it was too slippery; and when she had tired herself out with trying, the poor little thing sat down and cried.

---

1. **to venture** : *se risquer, oser* (faire qqch.) ; **venture**, *risque, opération, affaire.*
2. **flavour** : *arôme, bouquet* (vin), *goût, saveur* ; **to flavour**, *parfumer, assaisonner.*

Toutefois, cette bouteille ne portait pas le mot " poison " aussi Alice se risqua-t-elle à la goûter et, trouvant cela très bon (cela avait, en fait, une saveur de tarte aux cerises mêlée de flan d'ananas, de dinde rôtie, de caramel et de pain grillé beurré), elle eut tôt fait de la finir.

« Quelle drôle de sensation ! » fit Alice. « Je dois être en train de rentrer en moi-même comme un télescope ! »

Et en vérité c'était cela : elle ne mesurait maintenant que dix pouces et son visage s'épanouit à la pensée qu'elle avait maintenant la taille requise pour franchir la petite porte et pénétra dans le merveilleux jardin. Mais d'abord elle attendit quelques instants pour voir si elle allait encore rapetisser : elle éprouvait à ce sujet une légère inquiétude ; « car, voyez-vous », se disait-elle, « je pourrais finir par disparaître complètement, comme une bougie. Je me demande de quoi j'aurais l'air alors. » Et elle essaya d'imaginer à quoi ressemble la flamme d'une chandelle après qu'on l'a éteinte, car elle ne se rappelait pas avoir jamais rien vu de pareil.

Au bout d'un moment, elle décida d'aller séance tenante dans le jardin ; mais, hélas pour la pauvre Alice ! arrivée devant la porte, elle s'aperçut qu'elle avait oublié la petite clé en or, et quand elle revint vers la table pour la prendre elle s'aperçut qu'il ne lui était pas possible de l'atteindre : elle la voyait distinctement à travers la plaque de verre, et s'efforça d'y grimper par l'un des pieds de la table, mais il était trop lisse ; et quand elle se fut épuisée à force d'essayer, la pauvre petite s'assit et se mit à pleurer.

---

3. **custard** : *crème, œufs au lait.*
4. **to finish off** : m. à m. *finir jusqu'au bout.*
5. **inch** : *pouce* : 2,54 cm ; *avoir 10 pouces de haut,* **to be 10 inches high** (25 cm).
6. **to brighten up** : *s'animer, s'épanouir, s'éclaircir* (temps).
7. **to shrink (shrank, shrunk)** : 1.(ici) *rétrécir, rapetisser.* 2. *reculer à, devant* (**from**).
8. **to fancy** : 1. *se figurer, s'imaginer* . 2. *croire.* 3. *se sentir attiré vers...* 4. **to fancy oneself,** *être content de soi.* (Cf. p.54, 3.)

"Come, there's no use in crying like that!" said Alice to herself, rather sharply. "I advise you to leave off this minute.'" She generally gave herself very good advice (though she very seldom followed it), and sometimes she scolded herself so severely as to bring tears into her eyes; and once she remembered trying to box[1] her own ears for having cheated herself in a game of croquet she was playing against herself, for this curious child was very fond of pretending to be two people. "But it's no use now," thought poor Alice, "to pretend to be two people! Why, there's hardly[2] enough of me left[3] to make *one* respectable person!"

Soon her eye fell on a little glass box that was lying[4] under the table: she opened it, and found in it a very small cake, on which the words "eat me" were beautifully marked in currants[5]. "Well, I'll eat it," said Alice, "and if it makes me larger, I can reach the key; and if it makes me smaller, I can creep[6] under the door; so either way I'll get into the garden, and I don't care which happens!"

She ate a little bit, and said anxiously, to herself, "Which way? Which way?" holding her hand on the top of her head to feel which way it was growing, and she was quite surprised to find that she remained the same size: to be sure, this generally happens when one eats cake, but Alice had got so much into the way of expecting nothing but out-of-the-way things to happen, that it seemed quite dull and stupid for life to go on in the common way.

So she set to work, and very soon finished off the cake.

---

1. **to box** : 1. (ici) **s.o's ears**, *gifler*. 2. *boxer*. 3. *mettre en boîte, coffrer, encadrer* (typ.).
2. **hardly** : *à peine, presque pas* ; **hardly any**, *très peu de* ; **hardly ever**, *très rarement.* ❑ Ne pas confondre **he hardly works**, *il ne fait pas grand-chose* ; **he works hard**, *il travaille beaucoup* ; **hard**, *durement.*
3. **left** : remarquer la construction **I have no money left**, *il ne me*

« Allons, cela ne sert à rien de pleurer comme cela ! »se dit Alice plutôt sèchement. « Je te conseille d'arrêter immédiatement ! » Elle se donnait en général de très bons conseils (bien qu'elle les suivît très rarement) et se réprimandait parfois si durement que les larmes lui en venaient aux yeux ; elle se rappelait avoir essayé une fois de se donner des taloches pour avoir triché dans une partie de croquet qu'elle jouait contre elle-même, car cette curieuse enfant aimait beaucoup jouer à être deux personnes. « Mais cela ne sert à rien, à présent », pensa la pauvre Alice, « de jouer à être deux, alors qu'il reste à peine assez de moi pour faire une *seule* personne comme il faut. »

Bientôt son regard rencontra une petite boîte de verre posée sous la table ; elle l'ouvrit et y trouva un tout petit gâteau, sur lequel, à l'aide de raisins secs, étaient joliment écrits ces mots : « Mange-moi. » « Eh bien ! Je vais la manger », dit Alice. « Et s'il me fait grandir, je pourrai atteindre la clé ; et s'il me fait rapetisser, je pourrai me glisser sous la porte ; ainsi, d'une manière ou d'une autre, j'entrerai dans le jardin, et je me moque de ce qu'il adviendra.

Elle en mangea un petit morceau et se demanda avec inquiétude : « Dans quel sens ? Dans quel sens ? » en tenant la main sur le dessus de sa tête pour sentir si elle grandissait ou le contraire, et elle eut la surprise de voir qu'elle gardait la même taille : assurément, c'est ce qui se passe en général quand on mange un gâteau, mais Alice avait tellement pris le pli de ne s'attendre à rien d'autre qu'à de l'extraordinaire qu'il lui parut tout à fait ennuyeux et stupide que la vie se poursuivît comme à l'accoutumée.

Aussi elle passa à l'action, et bien vite acheva de manger le gâteau.

---

reste pas d'argent (m. à m. *je n'ai pas d'argent laissé.*)

4. **to lie (lay, lain)** : 1. *être étendu, reposer.* 2. (ici) *se trouver, être situé.*

5. **currant** : 1. *groseille* ; **red currant,** *groseille rouge* ; **black currant,** *cassis.* 2. *raisin sec.*

6. **to creep (crept, crept)** : *ramper, se traîner, se glisser* ; **to give the creeps,** *donner la chair de poule.*

… she tried her best to climb up one of the table-legs, but it was too slippery. (p. 36)

CHAPTER II

The Pool* of Tears

La mare de larmes

* **pool** : (ici) *mare* ; *flaque, bâche* (à marée basse).

"Curiouser and curiouser[1]!" cried[2] Alice (she was so much surprised, that for the moment she quite forgot how to speak good English); "now I'm opening out[3] like the largest telescope that ever was! Good-bye[4], feet!" (for when she looked down at her feet, they seemed to be almost out of sight, they were getting so far off). "Oh, my poor little feet, I wonder who will put on your shoes and stockings for you now, dears? I'm sure I sha'n't be able! *I* shall be a great deal too far off to trouble[5] myself about you: you must manage the best way you can –but I must be kind to them," thought Alice, "or perhaps they wo'n't walk the way I want to go! Let me see: I'll give them a new pair of boots every Christmas.

And she went on planning to herself how she would manage it. "They must go by the carrier[6]," she thought; "and how funny it'll seem, sending presents to one's own feet! And how odd[7] the directions[8] will look!"

"Alice's Right Foot, Esq.[9]
Hearthlrug,
near the Fender
(with Alice's Love)

Oh dear, what nonsense I'm talking!"

---

1. **curiouser** : forme comparative fautive, on devrait dire **more curious**. Le comparatif en **-er** est réservé aux adjectifs courts.
2. **to cry** : 1. (ici) *s'écrier.* 2. *crier, pousser des cris.* 3. *pleurer.*
3. **to open out** : *s'ouvrir* ; *s'opposer à* **to shut up**, cf. p. 34, 1.
4. **good-bye** : *adieu, au revoir* (contraction de **God be with you!** *Que Dieu soit avec vous !* ; **be** est un subjonctif pur).
5. **to trouble** : 1. (**about**) *s'inquiéter, se tracasser, se déranger, se mettre en peine.* 2. *préoccuper, déranger, ennuyer, embarrasser.*
6. **carrier** : 1. (ici) *transporteur, commissionnaire, expéditeur.* 2. *porteur.* 3. *support.*
7. **odd** : 1. (ici) *bizarre, curieux.* 2. *dépareillé.* 3. *impair.*
8. **direction** : 1. (ici) *adresse.* 2. *direction* (sens) ; *administration.*

« De plus en plus mieux ! » (Elle était tellement surprise que, sur l'instant, elle en oubliait vraiment de parler correctement) ; « maintenant, je me déploie comme le plus grand télescope qu'on ait jamais vu. Adieu, mes petits pieds » (car, lorsqu'elle regardait ses pieds, ces derniers lui paraissaient presque hors de vue, tant ils s'éloignaient).

« Oh ! mes pauvres petits pieds, je me demande qui maintenant vous passera vos souliers et vos bas, mes chéris ? *J'* en serai certainement incapable ! Je serai bien trop loin pour m'occuper de vous : il faudra vous débrouiller du mieux que vous pourrez ; – mais je dois être gentille avec eux », pensa Alice, « sinon, ils ne voudront plus me conduire où je veux qu'ils aillent ! Voyons, je leur offrirai une paire de souliers neufs à chaque Noël. »

Et elle continua à arranger dans sa tête la façon dont elle s'y prendrait. « Il faut les transporter », pensa-t-elle, « et comme cela paraîtra drôle, d'envoyer des cadeaux à ses propres pieds ! et quelle bizarre adresse cela donnera :

Monsieur le Pied droit d'Alice,
Tapis du Foyer,
Près du garde-feu.
Tendrement, Alice.

Mon Dieu, quelle bêtise je suis en train de dire. »

---

9. **esq.** : **esquire**, titre honorifique, toujours à la suite du nom.

Just at this moment her head struck against the roof of the hall: in fact she was now more than nine feet high, and she at once took up the little golden key and hurried off to the garden door.

Poor Alice! It was as much as she could do, lying down on one side, to look through[1] into the garden with one eye; but to get through[2] was more hopeless than ever: she sat down and began to cry again.

"You ought to be ashamed of yourself," said Alice, "a great girl like you," (she might well say this), "to go on crying in this way! Stop this moment, I tell you!" But she went on all the same, shedding[3] gallons[4] of tears, until there was a large pool all round her, about four inches deep and reaching half down the hall.

After a time she heard a little pattering[5] of feet in the distance, and she hastily dried her eyes to see what was coming. It was the White Rabbit returning splendidly dressed, with a pair of white kid gloves in one hand and a large fan in the other: he came trotting along in a great hurry, muttering to himself as he came, "Oh! the Duchess, the Duchess! Oh! wo'n't she be savage if I've kept her waiting!" Alice felt so desperate that she was ready to ask help of anyone; so, when the Rabbit came near her, she began, in a low, timid voice, "If you please, sir–" The Rabbit started violently, dropped the white kid gloves and the fan, and scurried[6] away into the darkness as hard as he could go.

---

1. **to look through** : *examiner.*
2. **to get through** : 1. (ici) *traverser, passer d'un autre côté* ; *achever* (tâche). 2. *être reçu* (examen) ; *obtenir une communication.*
3. **to shed (shed, shed)** : 1. (ici) *verser, répandre.* 2. *perdre* (feuilles, etc.).
4. **gallon** : *gallon* = 4,54 (G.B.) ; 3,78 (U.S.).
5. **to patter** : 1. (ici) *marcher à petits pas, trottiner* ; **pattering,**

A ce moment précis, sa tête heurta le plafond du couloir – en fait elle mesurait maintenant plus de neuf pieds, et aussitôt elle saisit la petite clé en or et se précipita vers la porte du jardin.

Pauvre Alice ! Couchée sur le côté, tout ce qu'elle pu faire fut de regarder d'un œil dans le jardin ; mais y pénétrer était plus que jamais sans espoir ; elle s'assit et recommença à pleurer.

« Tu devrais avoir honte », se dit-elle, « une grande fille comme toi », (elle était bien placée pour le dire) « de continuer à pleurer de la sorte. Arrête immédiatement, je t'en donne l'ordre ! » Mais elle continua tout de même, versant des flots de larmes, si bien qu'il y eut bientôt autour d'elle une vaste mare, profonde de près de dix centimètres et s'étendant sur la moitié du couloir.

Au bout d'un moment, elle entendit au loin un petit trottinement, et sécha ses yeux à la hâte pour voir ce qui s'approchait. C'était le Lapin Blanc qui revenait, magnifiquement vêtu, une paire de gants blancs en chevreau dans une main et un grand éventail dans l'autre : il arriva en trottant avec précipitation, tout en marmonnant : « Oh ! La Duchesse ! La Duchesse ! C'est qu'elle sera furieuse si je la fais attendre. »

Alice se sentait si désespérée qu'elle était prête à demander de l'aide au premier venu : aussi, lorsque le Lapin fut près d'elle, elle commença à dire, timidement et à mi-voix : « S'il vous plaît, monsieur. » Le Lapin sursauta vivement, laissa tomber ses gants blancs et l'éventail et détala de toutes ses forces dans l'obscurité.

---

patter, *petit bruit de pas* (pressés). 2. *bredouiller* ; *jacasser*. 6. **to scurry** : *courir à pas précipités* ; **to scurry away**, *détaler*.

Alice took up the fan and gloves, and, as the hall was very hot, she kept fanning herself all the time she went on talking: "Dear, dear! How queer everything is to-day! And yesterday things went on just as usual. I wonder if I've been changed in the night? Let me think: was I the same when I got up this morning? I almost think I can remember feeling a little different. But if I'm not the same, the next question is, Who in the world am I? Ah, *that's* the great puzzle!" And she began thinking over all the children she knew that were of the same age as herself, to see if she could have been changed for any of them.

"I'm sure I'm not Ada," she said, "for her hair goes in such long ringlets, and mine doesn't go in ringlets[1] at all; and I'm sure I ca'n't be Mabel, for I know all sorts of things, and she, oh! she knows such a very little! Besides, *she's* she, and *I'm* I, and – oh dear, how puzzling it all is! I'll try if I know all the things I used to know. Let me see: four times five is twelve, and four times six is thirteen, and four times seven is – oh dear! I shall never get to twenty[2] at that rate[3]! However, the Multiplication Table doesn't signify: let's try Geography. London is the capital of Paris, and Paris is the capital of Rome, and Rome – no, *that's* all wrong, I'm certain! I must have been changed for Mabel! I'll try and say *'How doth[4] the little'* and she crossed her hands on her lap as if she were saying lessons, and began to repeat it, but her voice sounded hoarse and strange, and the words did not come the same as they used to do:

---

1. **ringlets** : 1. (ici) *cheveux bouclés* ; *anglaises*. 2. *petit anneau*.
2. Exemple de "**nonsense**" : à partir du moment où l'on accepte le principe d'une table de multiplication imaginaire, la proposition du mathématicien Carroll comporte une certaine logique, si l'on considère que les tables de multiplication s'arrêtent à

Alice ramassa l'éventail et les gants et, comme il faisait chaud dans le couloir, elle n'arrêtait pas de s'éventer tout en continuant à parler : « Mon Dieu, mon Dieu ! Comme tout est bizarre aujourd'hui ! Et hier tout se passait comme à l'accoutumée ; je me demande si je me suis transformée, cette nuit ? Réfléchissons : étais-je la même quand je me suis levée ce matin ? Je crois presque me rappeler m'être sentie un peu différente. Mais si je ne suis pas la même, la question suivante est : " Qui diable suis-je donc ? " Alors la grande énigme *c'est ça* ! » Et elle entreprit de passer en revue tous les enfants de son âge qu'elle connaissait, pour voir si elle n'était pas devenue l'un d'entre eux.

« Je suis sûre de ne pas être Ada », dit-elle, « car elle porte de longs cheveux bouclés et les miens ne le sont pas du tout ; et je suis sûre de ne pas être Mable, car je connais toutes sortes de choses, et elle en connaît si peu ! De plus, elle *c'est elle* et moi, *c'est moi* et – oh, mon Dieu, comme tout cela est compliqué ! Je vais vérifier si je sais encore toutes les choses que je savais. Voyons : quatre fois cinq font douze ; et quatre fois six font treize, et quatre fois sept font – oh, mon Dieu ! à ce compte-là je n'arriverai jamais à vingt ! Cependant, la Table de Multiplication n'a pas d'importance : essayons la Géographie. Londres est la capitale de Paris et Paris est la capitale de Rome, et Rome – non, tout *cela* est faux, j'en suis certaine ! On a dû me transformer en Mabel ! Je vais essayer de réciter *"Comment le petit... "* », et elle croisa les bras sur ses genoux, comme pour réciter une leçon, et commença à dire le poème, mais sa voix était un son rauque et étrange, et les mots n'étaient pas ceux qui venaient d'habitude.

12... : cela donne 4x5=12, 4x6=13, 4x7=14, 4x8=15, 4x9=16, 4x10=17, 4x11=18, 4x12=19 : on n'arrive pas à 20...

3. **rate** : 1 (ici) *allure, train, cadence*. 2. *taux, tarif*. 3. *rang* ; **first rate**, *de premier ordre*.

4. **doth** (forme archaïque) : **does**.

"How doth the little crocodile[1]
Improve his shining[2] *tail,*
And pour the waters of the Nile
On every golden scale!

How cheerfully he seems to grin,
How neatly spread his claws,
And welcomes little fishes in
With gently smiling jaws!"

"I'm sure those are not the right words," said poor Alice, and her eyes filled with tears again as she went on, "I must be Mabel after all, and I shall have to go and live in that poky[3] little house, and have next to no toys to play with, and oh! ever[4] so many lessons to learn! No, I've made up my mind about it; if I'm Mabel, I'll stay down here! It'll be no use their putting their heads down and saying 'Come up again, dear!' I shall only look up and say 'Who am I then ? Tell me that first, and then, if I like being that person, I'll come up: if not, I'll stay down here till I'm somebody else' – but, oh dear!" cried Alice, with a sudden burst[5] of tears, "I do[6] wish they *would* put their heads down! I am so *very* tired of being all alone here!"

As she said this she looked down at her hands, and was surprised to see that she had put on one of the Rabbit's little white kid gloves while she was talking.

---

1. Parodie d'une chanson pour enfants écrite au 18e siècle par un théologien anglais, Isaac Watts (1674-1748) et bien connue des contemporains de Lewis Carroll, commençant ainsi :

How doth the little busy bee
Comme la laborieuse petite abeille

et qui prônait les vertus du travail opposé à la paresse.

« Comme le petit crocodile
Embellit sa queue colorée
Et répand les eaux du Nil
Sur chacune de ses écailles dorées

Comme il paraît sourire gaiement,
Comme ses griffes adroitement il étend
En accueillant les petits poissons dedans,
Avec ses mâchoires souriant gentiment ! »

« Je suis sûre que ce ne sont pas les vrais mots », se dit la pauvre Alice, et ses yeux se remplirent à nouveau de larmes alors qu'elle poursuivait « Après tout, je dois être Mabel, et il va falloir que j'aille vivre dans cette petite maison de rien du tout, avec pratiquement pas de jouets pour m'amuser, et, ciel, je ne sais combien de leçons à apprendre ! Non, j'ai pris ma décision : si je suis Mabel, je resterai ici ! Ça n'est pas la peine qu'ils penchent leurs têtes en me disant " Remonte, chérie ! " Je ne ferai que lever les yeux et je leur dirai " Qui suis-je, alors ? Dites-le moi – d'abord, et ensuite, s'il me plaît d'être cette personne, je remonterai ; sinon je resterai en bas ici jusqu'à ce que je sois quelqu'un d'autre " – mais, oh mon Dieu ! » s'écria Alice en fondant tout à coup en larmes. « Je voudrais tellement qu'ils *penchent* leurs têtes vers moi ! J'en ai *tellement* assez de rester toute seule ici ! »

En disant cela, son regard s'abaissa sur ses mains, et elle fut surprise de voir que, tout en parlant, elle avait passé l'un des gants blancs du Lapin.

---

2. **shining** : m. à m. *brillant.*
3. **poky** : *exigu, mesquin, misérable, de rien du tout.*
4. **ever** : adverbe d'intensité, pour renforcer **so many**, *tellement.*
5. **burst** : *explosion, éclat, bouffée, crise* (de larmes, de rire, etc.).
6. **to do** : pour insister (rendu par *tellement*).

"How *can* I have done that?" she thought. "I must be growing small again." She got up and went to the table to measure herself by it, and found that, as nearly as she could guess, she was now about two feet high, and was going on shrinking rapidly: she soon found out that the cause of this was the fan she was holding, and she dropped it hastily, just in time to avoid shrinking away altogether[1].

"That *was* a narrow escape[2]!" said Alice, a good deal frightened at the sudden change, but very glad to find herself still in existence; "and now for the garden!" and she ran with all speed back to the little door: but, alas! the little door was shut again, and the little golden key was lying so on the glass table as before, "and things are worse than ever," thought the poor child, "for I never was so small as this before, never! And I declare it's too bad, that it is."

As she said these words her foot slipped, and in another moment, splash! she was up to her chin in salt water. Her first idea was that she had somehow fallen into the sea, "and in that case I can go back by railway," she said to herself. (Alice had been to the seaside once in her life, and had come to the general conclusion, that wherever you go to on the English coast you find a number of bathing machines[3] in the sea, some children digging in the sand with wooden spades, then a row of lodging houses, and behind them a railway station.)

---

1. Nouvel exemple de "**nonsense**" : à l'opposé de la théorie de l'Univers en expansion continue, Alice peut, théoriquement, disparaître.

2. **to have a narrow escape** : *l'échapper belle* ; ❑ **narrow**, *étroit, serré, restreint* ; **escape**, *évasion, fuite.*

3. **bathing machines** : *cabines sur roues*, tirées par des chevaux, inventées au 18e siècle en Angleterre et utilisées au 19e siècle sous l'ère victorienne, permettant d'entrer dans l'eau, de se déshabiller et de se baigner à l'abri des regards.

« Comment ai-je *pu* faire cela », pensa-t-elle. « Je dois avoir rapetissé de nouveau. » Elle se releva et, se dirigeant vers la table pour s'y mesurer, découvrit qu'elle faisait maintenant environ soixante centimètres de haut et continuait à rétrécir rapidement : elle s'aperçut bientôt que l'éventail qu'elle avait à la main en était la cause, et le lâcha bien vite, juste à temps pour éviter de disparaître complètement.

« Je l'*ai* échappé belle ! » se dit Alice, joliment effrayée par cette soudaine transformation, mais bien contente d'être encore là. « Et maintenant, au jardin ! » Et elle revint en courant à toute allure vers la petite porte ; mais, hélas, la petite porte était à nouveau fermée, et la petite clé en or se trouvait sur la table comme auparavant ; « C'est pire que jamais », pensa la pauvre enfant, « car jamais encore je n'ai été si petite, jamais ! Et c'est vraiment bien malheureux, moi je vous le dis. »

Alors qu'elle prononçait ces mots, son pied glissa et en un rien de temps, plouf, elle se retrouva dans l'eau salée jusqu'au menton ! Sa première idée fut que, d'une manière ou d'une autre, elle était tombée dans la mer, « et dans ce cas je pourrais rentrer en chemin de fer », se dit-elle. (Alice était allée une fois dans sa vie à la mer, et en avait conclu en général que, où que l'on allât sur la côte anglaise, on trouvait un certain nombre de cabines de bain au bord de l'eau, des enfants creusant dans le sable avec des pelles en bois, puis une rangée de pensions de famille et, derrière elles, une station de chemin de fer.

However, she soon made out[1] that she was in the pool of tears which she had wept when she was nine feet high.

"I wish I hadn't cried so much!" said Alice, as she swam about, trying to find her way out. "I shall be punished for it now, I suppose, by being drowned in my own tears! That *will* be a queer[2] thing, to be sure! However, everything is queer to-day."

Just then she heard something splashing about in the pool a little way off, and she swam nearer to make out what it was: at first she thought it must be a walrus or hippopotamus, but then she remembered how small she was now, and she soon made out that it was only a mouse that had slipped in like herself.

"Would it be of any use now," thought Alice, "to speak to this mouse ? Everything is so out-of-the-way down here, that I should think very likely it can talk: at any rate, there's no harm in trying." So she began: "O Mouse, do you know the way out of this pool ? I am very tired of swimming about here, O Mouse!" (Alice thought this must be the right way of speaking to a mouse: she had never done such a thing before, but she remembered having seen in her brother[3]'s Latin Grammar, "A mouse[4] – of a mouse – to a mouse – a mouse – O mouse!" The Mouse looked at her rather inquisitively, and seemed to her to wink with one of its little eyes, but it said nothing.

---

1. **to make out** : 1. (ici) *comprendre, déchiffrer, discerner, distinguer.* 2. *établir, dresser* (liste). 3. *prouver.*

2. **queer** : 1. (ici) *bizarre, étrange, singulier.* 2. *louche.* 3. (fam.) *patraque.* 4. (fam. et péj.) *homosexuel.*

Cependant, elle comprit bientôt qu'elle se trouvait dans la mare créée par les larmes qu'elle avait versées alors qu'elle mesurait neuf pieds de haut.

« Si seulement je n'avais pas tant pleuré ! » se dit Alice qui, en nageant, s'efforçait de se sortir de là. «Maintenant, on va me punir en me noyant dans mes propres larmes ! Ce *sera* une chose bizarre, c'est certain ! Mais tout est bizarre aujourd'hui. »

Juste à ce moment elle entendit un barbotement non loin d'elle dans la mare, et s'en approcha à la nage pour distinguer ce que c'était : d'abord elle pensa que cela devait être un phoque ou un hippopotame, mais, se souvenant à quel point elle était petite maintenant, elle comprit vite que ce n'était qu'une souris qui, comme elle, avait glissé dans les larmes.

« Serait-ce d'une quelconque utilité maintenant », pensa Alice, « de parler à cette souris ? Tout est tellement déroutant ici qu'on pourrait penser qu'elle est tout à fait susceptible de parler. De toute façon, il n'y a aucun risque à essayer. »

Aussi se mit-elle à dire : « Ô Souris, sais-tu comment on peut sortir de cette mare ? Je suis lasse de nager en ces lieux, Ô Souris ! » (Alice pensait que cela devait être la bonne manière de s'adresser à une souris : cela ne lui était jamais encore arrivé, mais elle se rappelait avoir vu dans la grammaire latine de son frère : « Une souris – d'une souris – à une souris – une souris – Ô souris ! » La souris la regarda avec curiosité, et il lui sembla qu'elle lui adressait un petit clignement d'œil, mais elle ne dit pas un mot.

---

3. Allusion au frère aîné d'Alice, Edward Henry Liddell, dont L. Carroll fut le précepteur.

4. Parodie de la déclinaison latine classique (donnée dans les grammaires) où les noms varient selon leur fonction dans une phrase : ici **mouse**, qui ne varie pas, est précédé d'un article ou d'une préposition, pour simuler une déclinaison.

"Perhaps it doesn't understand English," thought Alice; "I dare say[1] it's a French mouse, come over with William the Conqueror[2]." (For, with all her knowledge of history, Alice had no very clear notion how long ago anything had happened.) So she began again: "Où est ma chatte ?" which was the first sentence in her French lesson-book. The Mouse gave a sudden leap out of the water, and seemed to quiver all over with fright. "Oh, I beg your pardon!" cried Alice hastily, afraid that she had hurt the poor animal's feelings. "I quite forgot you didn't like cats."

"Not like cats!" cried the Mouse, in a shrill, passionate voice. "Would *you* like cats if you were me ?"

"Well, perhaps not," said Alice in a soothing tone: «don't be angry about it. And yet I wish I could show you our cat Dinah: I think you'd take a fancy[3] to cats if you could only see her. She is such a dear quiet thing." Alice went on, half to herself, as she swam lazily about in the pool, "and she sits purring so nicely by the fire, licking her paws and washing her face –and she is such a nice soft thing to nurse – and she's such a capital[4] one for catching mice – Oh, I beg your pardon!" cried Alice again, for this time the Mouse was bristling all over, and she felt certain it must be really offended. "We wo'n't[5] talk about her anymore if you'd rather not[6]."

---

1. **I dare say** : m. à m. *j'ose dire…*
2. **William the Conqueror** : *Guillaume le Conquérant*, duc de Normandie, qui conquit l'Angleterre à la bataille de Hasting en 1066.
3. **fancy** : 1. (ici) *goût, caprice* ; **to take a fancy to,** *prendre goût à, prendre en affection, être séduit par.* 2. *imagination, fantaisie.* Cf. p. 37, 8.
4. **capital** :1. (ici) (fam.) *épatant* ; *chic.* 2. *capital(e)* (importance). 3. *majuscule* (lettre).
5. **wo'n't = won't.**
6.**you'd rather not** : m. à m. *vous aimeriez mieux pas.*

« Peut-être ne comprend-elle pas l'anglais », pensa Alice. « C'est peut-être bien une souris française, venue ici avec Guillaume le Conquérant ! » (Car, malgré toute sa connaissance de l'histoire, Alice n'avait pas une notion très claire/précise des dates des événements du passé.)

Aussi reprit-elle : « Où est ma chatte ? » – ce qui était la première phrase de son manuel de français. La souris fit un bond soudain hors de l'eau, et parut frissonner de peur. « Oh ! je vous demande pardon ! » s'écria aussitôt Alice, craignant d'avoir fait de la peine à ce pauvre animal : « J'ai complètement oublié que vous n'aimiez pas les chats. »

« Ne pas aimer les chats ! » s'écria la souris d'une voix perçante et véhémente. « Si *vous* étiez à ma place, vous aimeriez les chats, vous ? »

« Eh bien, peut-être que non », répartit Alice d'une voix apaisante. « Ne vous fâchez pas pour cela. Pourtant, j'aimerais pouvoir vous présenter notre chatte Dinah. Je crois que vous seriez folle des chats si seulement vous pouviez la voir. C'est une petite chose si douce. » Alice poursuivit-elle à mi-voix, tout en nageant paresseusement dans la mare : « Et elle ronronne si gentiment assise au coin du feu en se léchant les pattes et en se nettoyant le museau – et elle est tellement douce à caresser – et, pour attraper les souris, elle est épatante – Oh, je vous demande pardon », s'écria-t-elle à nouveau, car cette fois la Souris était toute hérissée, et Alice fut sûre de l'avoir vraiment offensé. « Nous n'en parlerons plus, si vous préférez. »

"We, indeed!" cried the Mouse, who was trembling down to the end of its tail, "As if *I* would talk on such a subject! Our family always *hated* cats: nasty[1], low, vulgar things! Don't let me hear the name again."

"I wo'n't indeed!" said Alice, in a great hurry to change the subject of conversation.. "Are you–are you fond–of–of dogs?" The Mouse did not answer, so Alice went on eagerly: "There is such a nice little dog near our house I should like to show you! A little bright-eyed terrier, you know, with oh, such long curly brown hair! And it'll fetch[2] things when you throw them, and it'll sit up and beg for its dinner, and all sorts of things - I ca'n't remember half of them - and it belongs to a farmer, you know, and he says it's so useful, it's worth[3] a hundred pounds! He says it kills all the rats and - oh dear!" cried Alice in a sorrowful tone, "I'm afraid I've offended it again!" For the Mouse was swimming away from her as hard as it could go, and making quite a commotion[4] in the pool as it went.

So she called softly after it, "Mouse dear! Do come back again, and we wo'n't talk about cats or dogs either, if you don't like them!"

---

1. **nasty** : 1. (ici) *déplaisant, méchant.* 2. *désagréable, nauséabond.* 3. *dangereux* ; *grave.*

2. **to fetch** : 1. (ici) *aller chercher, rapporter* (qqch.). 2. *atteindre* (un prix), *rapporter* (argent). 3. *manœuvrer* (bateau).

3. **to be worth** : *valoir,* suivi d'un verbe + **-ing** ; **it's worth buying,** *ça vaut la peine d'acheter* ; **worth,** *valeur.*

4. **commotion** : 1. (ici) *perturbation, remous.* 2. *tapage, vacarme.* 3. *insurrection, révolte, trouble.*

« Nous, vraiment ! » s'écria la Souris, qui tremblait jusqu'au bout de la queue. « Comme si, *moi*, je voulais parler d'un sujet pareil ! Notre famille a toujours *détesté* les chats : une engeance méchante, vile, basse et vulgaire ! Ne parlez plus de chat devant moi. »

« Je vous le promets ! » dit Alice, qui avait hâte de changer de sujet de conversation. « Aimez-vous… aimez-vous… les chiens ? » La Souris ne répondit pas, aussi Alice poursuivit avec passion : « Il y a un si gentil petit chien, près de notre maison, j'aimerais vous le montrer ! Un petit terrier à l'œil vif, vous savez, avec de si longs poils bruns bouclés ! Et il rapporte les choses que l'on lance, et il se tient sur ses pattes de derrière pour réclamer son dîner, et il fait toutes sortes de choses – je ne m'en rappelle pas la moitié – et il appartient à un fermier, vous savez, qui dit qu'il est si utile, et qu'il vaut cent livres. Il dit qu'il tue tous les rats et – Oh mon Dieu ! » s'écria Alice, « je l'ai encore offensée. » Car la Souris s'éloigna d'elle en nageant de toutes ses forces, provoquant un véritable remous dans la mare.

Aussi Alice l'appela doucement : « Chère Souris ! Revenez, je vous en prie, et nous ne parlerons plus ni de chats ni de chiens, puisque vous ne les aimez pas. »

When the Mouse heard this, it turned round and swam slowly back to her: its face was quite pale (with passion[1], Alice thought), and it said in a low trembling voice "Let us get to the shore, and then I'll tell you my history, and you'll understand why it is I hate cats and dogs[2]."

It was high time to go, for the pool was getting quite crowded with the birds and animals that had fallen into it: there were a Duck[3] and a Dodo[4], a Lory[5] and an Eaglet[6], and several other curious creatures[7]. Alice led the way, and the whole party swam to the shore.

---

1. **passion** : 1. (ici) *colère, emportement.* 2. *émotion.* 3. *passion, amour.*

2. Allusion au proverbe **it's raining cats and dogs**, *il pleut à torrent, il tombe des hallebardes*, qui ramène à la promenade du 17 juin 1862 que fit Carroll avec les sœurs Liddell et qu'il rapporte dans son journal : «... **About a mile above Nuneham heavy rain came on, and after bearing it a short time I settled that we had better leave the boat and walk : three miles of this drenched us all pretty well.** »
« ... à environ un mile en amont de Nuneham, une pluie abondante s'est mise à tomber ; après l'avoir subie un petit moment, je décidais que nous ferions mieux de quitter le bateau et de marcher : trois miles ainsi et nous fûmes complètement trempés. »

Quand la Souris entendit cela, elle se retourna et revint lentement à la nage vers Alice : son visage était pâle (de colère, pensa Alice) et, d'une voix basse et tremblante, elle lui dit : « Rendons-nous sur la rive, et alors je vous raconterai mon histoire et vous comprendrez pourquoi je déteste les chats et les chiens. »

Il était grand temps de partir, car la mare commençait à être encombrée de tous les oiseaux et animaux qui y étaient tombés : il y avait un Canard et un Dodo, un Lori et un Aiglon et plusieurs autres créatures bizarres. Alice se mit à leur tête et tous nagèrent vers la rive.

---

3. **a Duck** : *un canard.* Evoque son ami, le révérend Duckworth, qui faisait partie de la promenade du 17 juin.
4. **Dodo** : un *dronte* ou *dodo*, oiseau de l'île Maurice, incapable de voler, et espèce disparue, évoque également Dodgson et son bégaiement lorsqu'il se présentait et disait : « Do-Do-Dodgson ».
5. **a Lory** : *un lori* (petit perroquet malais), évoque Lorina, sœur d'Alice.
6. **an Eaglet** : *un aiglon*, évoque l'autre sœur, Edith.
7. Allusion de Carroll à ses sœurs Fanny et Elizabeth et à sa tante Lucy qui faisaient également partie de la promenade.

CHAPTER III

A CAUCUS*-RACE AND A LONG TALE* *

UNE COURSE D'UNE CLIQUE ET UN CONTE EN FORME DE QUEUE

* Cf. p. 66, 3.

* * Cf. p. 71, 6.

They were indeed a queer-looking party[1] that assembled on the bank –the birds with draggled[2] feathers, the animals with their fur clinging close to them, and all dripping[3] wet, cross[4], and uncomfortable.

The first question of course was, how to get dry again: they had a consultation about this, and after a few minutes it seemed quite natural to Alice to find herself talking familiarly with them, as if she had known them all her life. Indeed, she had quite a long argument[5] with the Lori, who at last turned sulky[6], and would only say, "I am older than you, and must know better[7]"; and this Alice would not allow without knowing how old it was, and, as the Lory positively refused to tell its age, there was no more to be said[8].

At last the Mouse, who seemed to be a person of authority among them, called out, "Sit down, all of you, and listen to me! *I'll* soon make you dry enough!" They all sat down at once, in a large ring, with the Mouse in the middle. Alice kept her eyes anxiously[9] fixed[10] on it, for she felt sure she would catch a bad cold[11] if she did not get dry very soon.

---

1. **party** : 1. (ici) *groupe, réunion, assemblée.* 2. *parti.* 3. *individu, personne.* 4. *réception, goûter, fête.*
2. **to draggle** : 1. (ici) *traîner dans la boue, salir, crotter.* 2. *traîner, rester en arrière.*
3. **to drip** : *dégoutter, dégouliner, ruisseler.*
4. **cross** : 1. (ici) *de mauvaise humeur, maussade.* 2. *oblique, transversal* ; *croisé* ; *opposé, contraire.* Cf. p. 254, 1.
5. **argument** : 1. (ici) *discussion, dispute, débat.* 2. *argument, thèse.*

Ce fut en vérité une étrange compagnie qui se rassembla sur le rivage – , les oiseaux avec leurs plumes traînant dans un triste état, les autres animaux les poils collés au corps, tous trempés comme une soupe, de méchante humeur et mal à l'aise.

La première question fut bien entendu de savoir comment se sécher : ils eurent une délibération à ce sujet, et au bout de quelques minutes il parut tout naturel à Alice de se retrouver à discuter familièrement avec eux comme si elle les connaissait depuis toujours. Elle eut même une longue discussion avec le Lory, qui en fin de compte se mit à bouder, se contentant de répéter : « Je suis plus âgé que vous, donc j'ai plus d'expérience. » Ce qu'Alice ne voulut pas admettre, sans connaître l'âge qu'il avait, et comme le Lori refusait catégoriquement de le lui dire, la discussion tomba court.

En fin de compte, la Souris, qui paraissait jouir d'une certaine autorité sur l'assemblée, s'écria : « Vous tous, asseyez-vous et écoutez-moi ! J'aurai vite fait, *moi* de vous rendre suffisamment secs. » Ils prirent aussitôt tous place à terre, formant un grand cercle avec la Souris au milieu. Alice gardait les yeux fixés sur elle avec impatience, car elle sentait qu'elle allait attraper un vilain rhume si elle ne se séchait pas au plus vite.

---

6. **sulky** : *boudeur, grognon* ; **to be sulky**, *faire la tête* ; **to sulk**, *bouder.*

7. **must know better** : m. à m. *doit mieux (m'y) connaître.*

8. **there was no more to be said** : m. à m. : *il n'y eut plus rien à dire.*

9. **anxiously** : 1. (ici) *avec impatience.* 2. *avec inquiétude.* 3. *avec sollicitude.*

10. **to fix** : 1. (ici) *fixer* ; *caler.* 2. *établir, désigner, convenir.* 3. (U.S.) *réparer* ; *arranger* ; *préparer* (boisson) ; *injecter une dose* ; *payer un "pot-de-vin"* ; *casser la figure.*

11. **to catch a cold** : *attraper un rhume, s'enrhumer, prendre froid.*

"Ahem!" said the Mouse with an important air. "Are you all ready? This is the driest[1] thing I know. Silence all round, if you please! 'William the Conqueror, whose cause was favoured by the pope, was soon submitted to by the English, who wanted leaders, and had been of late[2] much accustomed to usurpation and conquest. Edwin and Morcar, the earls[3] of Mercia and Northumbria–'"

"Ugh!" said the Lory, with a shiver.

"I beg your pardon!" said the Mouse, frowning, but very politely. "Did you speak?"

"Not I!" said the Lory hastily.

"I thought you did," said the Mouse. "I proceed. 'Edwin and Morcar, the earls of Mercia and Northumbria, declared[4] for him: and even Stigand, the patriotic Archbishop of Canterbury, found it advisable–'"

"Found *what*?" said the Duck.

"Found it," the Mouse replied rather crossly: "of course you know what 'it' means."

"I know what 'it' means well enough, when *I* find a thing," said the Duck: "it's generally a frog or a worm. The question is, what did the archbishop find?"

The Mouse did not notice this question, but hurriedly went on, "–found it advisable to go with Edgar Atheling to meet William and offer him the crown. William's conduct at first was moderate. But the insolence of his Normans –How are you getting on now, my dear?" it continued, turning to Alice as it spoke.

---

1. **driest** : superlatif de **dry**, *sec*, employé ici par Carroll avec tous ses autres sens : *aride*, *fade* et également *caustique*, *mordant* ; **dry humour**, *humour pince-sans-rire* ; **dry laugh**, *rire ironique* ; **dry subject**, *sujet aride*.

« Hem ! » fit la Souris d'un air important. « Vous êtes tous prêts ? Voici ce que je connais de plus desséchant. Silence tout autour, s'il vous plaît ! " Guillaume le Conquérant, dont la cause avait la faveur du pape, obtint vite la soumission des Anglais, qui avaient besoin de chefs, et qui depuis quelque temps s'étaient habitués à l'usurpation et à la conquête. Edwin et Morca, comtes de Mercia et de Northumbria..." »

« Brr ! » fit le Lori, en frissonnant.

« Je vous demande pardon ! » dit la Souris en fronçant les sourcils, mais très poliment. « Avez-vous parlé ? »

« Moi, non ! » se hâta de dire le Lori.

« Je l'avais cru », dit la Souris. « Je poursuis. Edwin et Morcar, comtes de Mercia et de Northumbria, se prononcèrent pour lui ; et même Stigand, l'archevêque patriote de Canterbury, trouva cela judicieux...

« Trouva quoi ? » dit le Canard.

« Trouva cela », répliqua la Souris d'un ton plutôt fâché : « bien sûr, vous savez ce que "cela" signifie. »

« Je sais assez bien ce que "cela" signifie, quand *moi* je trouve une chose », dit le Canard. « C'est en général une grenouille ou un ver. La question est : que trouva l'archevêque ? »

La Souris ne prêta pas attention à cette question, mais poursuivit précipitamment, «... trouva judicieux d'aller avec Edgar Atheling rencontrer Guillaume le Conquérant pour lui offrir la couronne. Au début l'attitude de Guillaume fut modérée, mais l'insolence de ses Normands – comment vous sentez-vous maintenant, ma chère ? » continua-t-elle en se tournant vers Alice.

---

2. **of late** : **lately**, *dernièrement, récemment, ces derniers temps.*
3. **earl** : *comte* ; ▲ *comtesse*, **countess.**
4. **to declare** : 1. (ici) **to declare for,** *se déclarer, se prononcer pour.* 2. *proclamer, déclarer.* 3. *assurer, proclamer.*

"As wet as ever!" said Alice in a melancholy tone: "it doesn't seem to dry me at all."

"In that case," said the Dodo solemnly, rising to its feet, "I move[1] that the meeting adjourn[2], for the immediate adoption of more energetic remedies–"

"Speak English!" said the Eaglet. "I don't know the meaning of half those long words, and, what's more, I don't believe you do either!" And the Eaglet bent down its head to hide a smile: some of the other birds tittered audibly.

"What I was going to say," said the Dodo in an offended tone, "was, that the best thing to get us dry would be a Caucus[3]-race."

"What *is* a Caucus-race ?" said Alice; not that she much wanted to know, but the Dodo had paused as if it thought that *somebody* ought to speak, and no one else seemed inclined to say anything.

"Why," said the Dodo, "the best way to explain it is to do it." (And, as you might like to try the thing yourself some winter day, I will tell you how the Dodo managed it.)

First it marked out a race-course, in a sort of circle ("the exact shape doesn't matter," it said), and then all the party were placed along the course, here and there.

---

1. **to move** : 1. (ici) langage administratif (et parlementaire), *proposer.* 2. plus généralement, *bouger, remuer* ; *mouvoir* ; agiter. 3. *émouvoir.*

2. **adjourn** : m. à m. *je propose que la réunion soit ajournée.* Ici, comme en français, **adjourn** est un subjonctif, donc pas de **s** à la 3e personne du singulier.

3. **caucus** : terme d'origine U.S. qualifiant la réunion des responsables d'un parti pour désigner leur candidat. En anglais britannique, signifie, avec une nuance légèrement péjorative, le fait qu'un parti soit tenu et organisé par un ensemble de "*comités*" (ou "cercles"), ou "*cliques*" (d'où "course à la politicard").

« Plus mouillée que jamais ! » dit Alice d'un ton mélancolique : « ça n'a pas l'air de me sécher du tout. »

« En ce cas », dit le Dodo, en se dressant sur ses pattes d'un air solennel, « je propose l'ajournement de la réunion et l'adoption immédiate de remèdes plus énergiques... »

« Parlez anglais ! » dit l'Aiglon. « Je ne comprends pas le sens de la moitié de ces grands mots, et, qui plus est, je ne crois pas que vous le compreniez non plus ! » Et l'Aiglon baissa la tête pour dissimuler un sourire ; quelques-uns des autres oiseaux firent entendre des ricanements étouffés.

« Ce que j'allais dire », continua le Dodo, sur un ton offensé, « c'est que la meilleure chose à faire pour nous sécher, ce serait une course à la politicard... »

« Qu'est-ce qu'une course à la politicard ? » dit Alice ; non pas qu'elle voulût vraiment le savoir, mais le Dodo avait fait une pause comme s'il pensait que quelqu'un devait parler, et personne ne semblait disposé à le faire.

« Eh bien », dit le Dodo, « la meilleure façon de l'expliquer, c'est de la faire. » (Et, comme vous pourriez vouloir essayer la chose vous-même, par quelque journée d'hiver, je vais vous dire comment le Dodo s'y prit.)

D'abord il délimita une piste de course, dans une sorte de cercle (« la forme exacte importe peu », dit-il), puis toute la compagnie fut éparpillée çà et là, le long de la piste.

There was no "One, two, three, and away," but they began running when they liked, and left off [1] when they liked, so that it was not easy to know when the race was over. However, when they had been running half an hour or so, and were quite dry again, the Dodo suddenly called out "The race is over[2]!" and they all crowded round it, panting, and asking, "But who has won?"

This question the Dodo could not answer without a great deal of thought, and it sat for a long time with one finger pressed upon its forehead (the position in which you usually see Shakespeare[3], in the pictures of him), while the rest waited in silence. At last the Dodo said, "Everybody has won, and all must have prizes."

"But who is to give the prizes?" quite a chorus of voices asked.

"Why, *she*, of course," said the Dodo, pointing[4] to Alice with one finger; and the whole party at once crowded round her, calling out in a confused way, "Prizes! Prizes!"

Alice had no idea what to do, and in despair she put her hand in her pocket, and pulled out a box of comfits[5] (luckily the salt water had not got into it), and handed them round as prizes. There was exactly one a-piece[6] all round.

"But she must have a prize herself, you know," said the Mouse.

"Of course," the Dodo replied very gravely. "What else have you got in your pocket?" he went on, turning to Alice.

---

1. **to leave off = to stop** : 1. (ici) *s'arrêter* ; **where did we leave off,** *où en étions-nous* ? 2. *cesser* (*de*) ; *abandonner.*

2. **to be over** : *être fini, terminé, passé, arrêté.*

3. Cf. dessin p. 13.

Il n'y eut pas de « Un, deux, trois, partez ! » : ils commençaient à courir selon leur gré et ils s'arrêtaient quand bon leur semblait, de sorte qu'il n'était pas facile de savoir quand la course prendrait fin. Cependant, au bout d'environ une demi-heure de course, ils furent à nouveau tout à fait secs et le Dodo proclama soudain : « La course est finie ! » et ils se pressèrent tous, haletants, autour de lui en demandant : « Mais qui a gagné ? »

A cette question, le Dodo ne put répondre qu'après une longue réflexion, et il resta un long moment, un doigt pressé sur le front (la pose habituelle de Shakespeare sur les gravures qui le représentent), tandis que les autres attendaient en silence. Finalement le Dodo déclara : « Tout le monde a gagné ; et tous devront avoir un prix. »

« Mais qui va donner ces prix ? » demanda en chœur toute l'assistance.

« Eh bien, *elle*, bien sûr », dit le Dodo, désignant Alice du doigt ; et toute la compagnie se pressa immédiatement autour d'elle, clamant, dans la confusion : « Les prix, les prix ! »

Alice n'avait aucune idée de ce qu'il fallait faire, et en désespoir de cause elle mit la main dans sa poche, en sortit une boîte de dragées (par chance l'eau salée n'y avait pas pénétré) et les fit circuler à la ronde comme prix. Il y en avait exactement une pour chacun d'entre eux.

« Mais il faut qu'elle aussi ait un prix », dit la Souris.

« Bien sûr », répliqua gravement le Dodo. « Qu'avez-vous d'autre dans votre poche ? » poursuivit-il en se tournant vers Alice.

---

4. **to point (to)** : 1. (ici) *indiquer, montrer du doigt* ; *attirer l'attention* ; *souligner* ; *annoncer*. 2. *braquer, diriger*.

5. **comfits** : *dragée* ▲ *fruits confits*, **candied fruits**.

6. **a-piece = apiece** : *chacun(e)* ; *par personne*.

"Only a thimble," said Alice sadly.

"Hand it over here," said the Dodo.

Then they all crowded round her once more, while the Dodo solemnly presented the thimble, saying, "We beg your acceptance[1] of this elegant thimble"; and, when it had finished this short speech, they all cheered.

Alice thought the whole thing very absurd, but they all looked so grave that she did not dare[2] to laugh; and, as she could not think of anything to say, she simply bowed, and took the thimble, looking as solemn as she could.

The next thing was to eat the comfits: this caused some noise and confusion, as the large birds complained that they could not taste theirs, and the small ones choked[3] and had to be patted[4] on the back. However, it was over at last, and they sat down again in a ring, and begged the Mouse to tell them something more.

"You promised to tell me your history, you know," said Alice, "and why it is you hate –C and D[5]", she added in a whisper, half afraid that it would be offended again.

"Mine is a long and a sad tale!" said the Mouse, turning to Alice and sighing.

"It *is* a long tail[6], certainly," said Alice, looking down with wonder at the Mouse's tail; "but why do you call it sad?". And she kept on puzzling[7] about it while the Mouse was speaking, so that her idea of the tale was something like this:

---

1. **acceptance** : 1. (ici) *acceptation.* 2. *approbation.* Dans les deux cas, vocabulaire très formel.

2. Rappel : **dare** peut se construire avec **not** (**I dare not**) ou avec un infinitif sans **to** (**I dare laugh**) ; cf. p. 54, 1.

3. **to choke** : 1. (ici) *étouffer, s'étrangler.* 2. *boucher, étouffer.*

« Rien qu'un dé à coudre », dit tristement Alice.

« Passez-le ici », dit le Dodo.

Ils se pressèrent alors autour d'elle une fois de plus, tandis que le Dodo lui présentait solennellement le dé en disant : « Nous vous prions de bien vouloir accepter cet élégant dé à coudre », et, quand il eut achevé ce bref discours, ils poussèrent tous des acclamations.

Tout cela parut à Alice tout à fait absurde, mais ils avaient tous l'air si sérieux qu'elle n'osa pas rire, et comme elle ne trouvait rien à leur dire elle s'inclina tout simplement et prit le dé, avec un air aussi solennel que possible.

L'étape suivante consistait à manger les dragées : cela provoqua bruit et confusion, car les grands oiseaux se plaignaient de ne pouvoir en percevoir la saveur et les petits s'étranglaient et on devait leur donner des tapes dans le dos. Néanmoins, tout cela prit fin, et ils s'assirent à nouveau en cercle et supplièrent la Souris de leur raconter encore quelque chose.

« Vous avez promis de me raconter votre histoire, vous savez », dit Alice, « et pourquoi vous détestez les...Ch et les Ch », ajouta-t-elle dans un murmure, craignant à moitié de l'offenser une fois de plus.

« C'est que la mienne est longue et triste ! » dit la Souris, se tournant vers Alice en soupirant.

« C'est certainement une longue queue », dit Alice en abaissant les yeux avec étonnement sur la queue de la Souris; « mais pourquoi dites-vous qu'elle est triste ? ». Et elle continua de se creuser la tête à ce sujet, tandis que la Souris parlait, de sorte que son idée de l'histoire avait un peu cette allure :

---

4. **to pat** : *taper, tapoter, donner une tape* ; *caresser.*
5. **C and D = Cats and Dogs** ; mais jeu de mots possible car **C** and **D** signifient *do* et *ré*...
6. jeu de mots phonétique : **tale**, *conte* et **tail**, *queue*, ont la même prononciation [téïl].
7. **to puzzle about** : *essayer de résoudre, de comprendre* ; **to puzzle out**, *éclaircir, résoudre.*

FURY AND THE MOUSE

Fury said to a
mouse, that he
met in the
house,
"Let us
both go
to law:
I will
prosecute
you. Come, I'll
take no denial;
we must
have a trial:
For really
this morning
I've nothing
to do."
Said the
mouse to the
cur, "such a
trial,
dear Sir,
with no
jury or
judge,
would be
wasting
our breath."
"I'll be judge,
I'll be jury
said
cunning
old Fury:
"I'll
try the
whole
cause,
and
condemn
you
to
death."

FURY ET LA SOURIS

Fury dit à
une souris, qu'il
rencontra dans la
maison : « Allons
tous au tribunal :
je vais vous
poursuivre.
Venez,
Je n'accepte
aucun refus ;
il nous faut
un procès :
Car vraiment
ce matin je
n'ai rien
à faire.»
Dit la
souris au
cabot :
« un tel procès
cher monsieur
sans jury
ni juge,
serait
du
souffle perdu.»
« Je serai juge
je serai jury »,
dit le
rusé
vieux Fury:
« Je jugerai
toute la
cause,
et
te condamnerai
à
mort. »

"You are not attending![1]" said the Mouse to Alice severely. "What are you thinking of?"

"I beg your pardon," said Alice very humbly: "you had got to the fifth bend, I think?"

«I had *not*[2]!» cried the Mouse angrily.

"A knot!" said Alice, always ready to make herself useful, and looking anxiously about her.

"Oh, do let me help to undo it!"

"I shall do nothing of the sort," said the Mouse, getting up and walking away.

"You insult me by talking such nonsense!"

"I didn't mean it!" pleaded poor Alice. "But you're so easily offended, you know!"

The Mouse only growled in reply.

"Please come back and finish your story!" Alice called after it. And the others all joined in chorus, "Yes, please do!" but the Mouse only shook its head impatiently and walked a little quicker.

"What a pity it wouldn't stay!" sighed the Lory, as soon as it was quite out of sight. And an old Crab took the opportunity of saying to her daughter, "Ah, my dear! Let this be a lesson to you never to lose *your* temper!" "Hold your tongue, Ma!" said the young Crab, a little snappishly[3]. "You're enough to try[4] the patience of an oyster!"

"I wish I had our Dinah here, I know I do!" said Alice aloud, addressing[5] nobody in particular. "She'd soon fetch it back!"

---

1. **to attend** : 1. (ici) *être attentif, prêter attention* ; *faire attention.* 2. *assister à,* **to attend a course,** *suivre un cours* ; **to attend church,** *aller à l'église.* 3. **to attend a patient,** *soigner un malade.*
2. **not et knot** : jeu de mots phonétique entre **not,** *ne pas,* et **knot,** *nœud,* qui ont la même prononciation[not'] car le **k** de **not** est muet

« Vous n'êtes pas attentive ! » dit d'un ton sévère la Souris à Alice. « A quoi pensez-vous ? »

« Je vous demande pardon », dit Alice avec humilité : vous étiez arrivée à la cinquième courbe, je crois. »

« Je ne ... ! » s'écria la Souris, très en colère.

« Un nœud ! » dit Alice, toujours prête à se rendre utile et regardant autour d'elle avec inquiétude. « Oh, laissez-moi vous aider à le défaire ! »

« Je ne ferai rien de tel », dit la Souris qui se leva et s'éloigna. « Vous m'insultez en disant de telles absurdités. »

« Je n'en avais pas l'intention ! » allégua la pauvre Alice. « Mais vous prenez la mouche si facilement, voyez-vous. »

La Souris se contenta de répliquer par un grognement.

« Revenez, s'il vous plaît, et finissez votre histoire ! » lui lança Alice. Et les autres se joignirent à elle en chœur : « Oh, oui, reviens ! » Mais la Souris ne fit que secouer la tête avec impatience et s'éloigna un peu plus vite.

« Quel dommage qu'elle n'ait pas voulu rester ! » soupira le Lori, dès qu'elle fut hors de vue. Et une vieille maman crabe saisit l'occasion pour dire à sa fille : « Ah, ma chérie ! Que cela t'apprenne à ne jamais perdre ton sang-froid ! » « Tiens ta langue, m'man », dit le jeune crabe, d'un ton hargneux, « tu serais capable de faire perdre patience à une huître ! ».

« Je voudrais bien que notre Dinah soit là, je le voudrais vraiment ! » dit tout haut Alice, ne s'adressant à personne en particulier. « Elle aurait vite fait de nous la ramener. »

(comme tous les **k** précédent **n** : **(k)nee**, *genou* ; **(k)night**, *chevalier* ; **to (k)now**, *savoir*, etc.

Plus tard, le mathématicien qu'était L. Carroll écrira des jeux mathématiques qu'il appellera **knots**...

3. **snappish** : *cassant* ; *prêt à mordre* ; *hargneux*.

4. **to try the patience** : m. à m. *mettre à l'épreuve* (*la patience*...).

5. **to address** : 1. (ici) *s'adresser* à. 2. *adresser* (lettre, paquet, **to sb.**, *à qn.*), cf. p. 104, 1.

"And who is Dinah, if I might venture to ask the question?" said the Lory.

Alice replied eagerly, for she was always ready to talk about her pet[1]: "Dinah's our cat. And she's such a capital one for catching mice, you ca'n't think! And oh, I wish you could see her after the birds! Why, she'll eat a little bird as soon as look at it!"

This speech caused a remarkable sensation among the party. Some of the birds hurried off at once: one old Magpie began wrapping itself up very carefully, remarking, "I really must be getting home: the night-air doesn't suit[2] my throat!" and a Canary called out in a trembling voice to its children, "Come away, my dears! It's high time[3] you were all in bed!" On various pretexts they all moved off, and Alice was soon left alone.

"I wish I hadn't mentioned Dinah!" she said to herself in a melancholy tone. "Nobody seems to like her, down here, and I'm sure she's the best cat in the world! Oh, my dear Dinah! I wonder if I ever see you any more!" And here poor Alice began to cry again, for she felt very lonely and low-spirited[4]. In a little while, however, she again heard a little pattering of footsteps in the distance, and she looked up eagerly, half hoping that the Mouse had changed his mind, and was coming back to finish his story.

---

1. **pet** : 1. (ici) *favori(te)*, *chouchou* ; **he is a pet**, *il est adorable* ; **pet hate**, *bête noire* ; **pet subject**, *marotte, dada.* 2. *animal familier* ; **pet food**, *aliments pour animaux* ; **no pets allowed**, *animaux interdits.*

2. **to suit** : *convenir, aller à.*

« Et qui est Dinah, si je peux me risquer à poser la question ? » dit le Lori.

Alice répondit avec empressement, car elle était toujours prête à parler de sa favorite : « Dinah est notre chatte. Et c'est qu'elle est fameuse pour attraper les souris ; vous ne pouvez pas imaginer ! Et, oh, si seulement vous la voyiez chasser les oiseaux ! Ma foi, aussitôt vu un petit oiseau, aussitôt avalé. »

Ce discours produisit une singulière impression sur la compagnie. Certains oiseaux prirent congé sur-le-champ : une vieille pie s'emmitoufla avec beaucoup de soin, en remarquant : « Il faut vraiment que je rentre à la maison : l'air du soir n'est pas bon pour ma gorge ! » Et un Canari lança d'une voix tremblante à ses petits : « Venez, mes chéris ! Il est grand temps de vous mettre tous au lit ! » Ils s'en allèrent tous, sous divers prétextes, et bientôt Alice resta seule.

« Je n'aurais pas dû parler de Dinah ! » se dit-elle d'un ton mélancolique. « Personne ne semble l'aimer par ici, et je suis sûre que c'est la meilleure chatte du monde ! Oh, Dinah chérie ! Je me demande si je te reverrai jamais ! » Et alors la pauvre Alice se remit à pleurer, car elle se sentait très seule et très abattue. Au bout d'un petit moment, cependant, elle entendit à nouveau un léger trottinement au loin; elle leva les yeux avec impatience espérant à moitié que la Souris avait changé d'avis et qu'elle revenait terminer son histoire.

---

3. **it's high time you were all in bed** : **it's high time** + verbe au prétérit à sens subjonctif, *il est grand temps que vous vous mettiez tous au lit* (ou *de vous mettre tous au lit*). .
4. **low-spirited** : *déprimé, démoralisé* ; **spirited,** *fougueux, plein d'entrain* ; **high spirited,** *tout joyeux, plein d'entrain.*

CHAPTER IV

The Rabbit sends in a little bill

*Le Lapin envoie un petit Bill**

* Cf. p. 80

It was the White Rabbit, trotting slowly back again, and looking anxiously about as it went, as if it had lost something; and she heard it muttering to itself, "The Duchess! The Duchess! Oh my dear paws! Oh my fur and whiskers! She'll get me executed[1], as sure as ferrets[2] are ferrets! Where *can* I have dropped them, I wonder?" Alice guessed in a moment that it was looking for the fan[3] and the pair of white kid gloves, and she very good-naturedly began hunting about for them, but they were nowhere to be seen –everything seemed to have changed since her swim in the pool, and the great hall, with the glass table and the little door, had vanished completely.

Very soon the Rabbit noticed Alice, as she went hunting about, and called out[4] to her in an angry tone, "Why, Mary Ann, what *are* you doing out here? Run home this moment, and fetch me a pair of gloves and a fan! Quick, now!" And Alice was so much frightened that she ran off[5] at once in the direction it pointed to, without trying to explain the mistake that it had made.

"He took me for his housemaid," she said to herself as she ran. "How surprised he'll be when he finds out[6] who I am! But I'd better take[7] him his fan and gloves – that is, if I can find them."

---

* **Bill** : jeu de mots sur le prénom Bill, diminutif de William, *Guillaume*, et le mot **bill** qui signifie *facture, note, addition* ; *liste, effet, traite* (et par ailleurs *projet de loi, affiche*) et encore *bec* (d'oiseau).

1. **she'll get me executed** : *elle va me faire exécuter* ; ❑ *faire faire qqch.* est rendu par **get** ou **have** + ce qui subit + participe passé, et par **make** ou **have** + ce qui agit + infinitif sans **to** (*il me fait travailler*, **he makes me work**).

2. **ferret** : *furet* ; **to ferret**, *fouiller, fureter*, **to ferret out**, *dénicher*.

C'était le Lapin Blanc qui revenait à nouveau en trottinant, regardant en cours de route autour de lui avec inquiétude, comme s'il avait perdu quelque chose, et elle l'entendit marmonner : « La Duchesse, la Duchesse ! Oh, mes chères pattes ! Oh, ma fourrure et mes moustaches ! Elle va me faire exécuter, aussi sûr qu'un furet est un furet ! Où puis-je les avoir laissés tomber, je me demande ? » Alice devina tout de suite qu'il cherchait l'éventail et les gants blancs, et très obligeamment elle se mit à leur recherche, mais ils n'étaient visibles nulle part – tout semblait avoir changé depuis sa baignade dans la mare ; et le grand couloir, avec la table de verre et la petite porte, avait complètement disparu.

Très vite le Lapin remarqua Alice alors qu'elle cherchait de tous côtés, et lui lança sur un ton très irrité : « Mais qu'est-ce que vous fabriquez ici, Marie-Anne, courez à la maison sur-le- champ et rapportez-moi une paire de gants et un éventail ! Vite, maintenant ! » Et Alice fut si effrayée qu'elle partit immédiatement en courant dans la direction qu'il indiquait, sans essayer d'expliquer l'erreur qu'il avait faite.

« Il m'a prise pour sa femme de chambre », se dit-elle pendant sa course. « Quelle surprise il aura quand il découvrira qui je suis ! Mais je ferais mieux de lui porter son éventail et ses gants – du moins si je les trouve. »

---

3. **fan** : 1. (ici) *éventail.* 2. *ventilateur.* 3. *enthousiaste, admirateur.*
4. **to call out** : *héler, demander à haute voix, interpeller* ; *faire appel à.*
5. **she ran off** : *elle partit en courant,* (v. p. 24, 4.) ; ici **off** est rendu par le verbe *partir.*
6. **when he finds out** : *quand il découvrira.* En anglais, on a le présent (au lieu du futur français) après la conjonction de temps **when.**
7. **I'd better take...** : **I'd better** est suivi de l'infinitif sans **to.**

As she said this, she came upon a neat[1] little house, on the door of which was a bright brass plate[2] with the name "W. RABBIT" engraved upon it. She went in without knocking, and hurried upstairs, in great fear lest[3] she should meet the real Mary Ann, and be turned out[4] of the house before she had found the fan and gloves.

"How queer it seems," Alice said to herself, "to be going messages for a rabbit! I suppose Dinah'll be sending me on messages[5] next!" And she began fancying the sort of thing that would happen: 'Miss Alice! Come here directly, and get ready for your walk!' 'Coming in a minute, nurse[6]! But I've got to watch this mouse-hole till Dinah comes back, and see that the mouse doesn't get out.' Only I don't think," Alice went on, "that they'd let Dinah stop[7] in the house if it began ordering people about like that!"

By this time she had found her way into a tidy little room with a table in the window, and on it (as she had hoped) a fan and two or three pairs of tiny white kid gloves: she took up the fan and a pair of the gloves, and was just going to leave the room, when her eye fell upon a little bottle that stood near the looking-glass. There was no label this time with the words "DRINK ME" but nevertheless she uncorked it and put it to her lips.

---

1. **neat** : 1. (ici) *coquet(te), bien tenu, bien rangé, en ordre.* 2. *élégant* (style), *bien tourné* (discours), *bien exécuté.* 3. *de bon goût.* 4. *sans eau, "sec"* (alcool). 5. *adroit.*
2. **plate** : 1. (ici) *plaque.* 2. *planche, gravure* (livre). 3. *assiette, plat.*
3. **lest she should meet** : m. à m. *de peur qu'elle ne rencontre...*; **lest,** *de peur que,* gouverne le subjonctif (emploi littéraire).

Sur ces mots, elle se retrouva devant une coquette petite maison sur la porte de laquelle brillait une plaque de cuivre où était gravé le nom « G. LAPIN ». Elle entra sans frapper et se précipita à l'étage, craignant fort de rencontrer la vraie Marie-Anne, et d'être mise à la porte de la maison avant d'avoir trouvé l'éventail et les gants.

« Comme cela fait bizarre », se dit-elle, « de faire des courses pour un lapin ! Je suppose que, la prochaine fois, c'est Dinah qui m'enverra faire des courses ! » Et elle commença à imaginer le genre de choses qui se produiraient : « Mademoiselle Alice ! Venez tout de suite, et préparez-vous pour votre promenade ! » « J'arrive dans une minute, nourrice ! Mais il faut que je surveille ce trou de souris jusqu'à ce Dinah revienne, et m'assure que la souris ne sorte pas ! » « Seulement, je ne pense pas », poursuivit Alice, « que l'on laisserait Dinah loger dans la maison si elle commençait à donner des ordres aux gens comme ça ».

Elle avait alors atteint une petite pièce bien rangée où, sur une table devant la fenêtre, se trouvaient un éventail et deux ou trois paires de minuscules gants blancs : elle se saisit de l'éventail et d'une paire de gants, et allait quitter la pièce, quand son regard tomba sur une petite bouteille qui se tenait près du miroir. Cette fois-ci, il n'y avait pas d'étiquette comportant les mots « Buvez-moi », mais néanmoins elle la déboucha et la porta à ses lèvres.

---

4. **to turn out** : 1. (ici) *mettre dehors.* 2. *se trouver, s'avérer, se mettre.* 3. *sortir, paraître* (en public). 4. *fabriquer, produire.*
5. **messages** : 1. (ici) *courses, commissions* (usage écossais) au lieu de **errands**. 2. *message.*
6. **nurse** : 1. (ici) *nourrice.* 2. *infirmière.*
7. **to stop** : 1. (ici) *loger, rester.* 2. *arrêter, interrompre.* 3. *empêcher.*

"I know *something* interesting is sure to happen," she said to herself, "whenever I eat or drink anything[1]; so I'll just see what this bottle does. I do hope it'll make[2] me grow large again, for really I'm quite tired of being such a tiny little thing!"

It did so indeed, and much sooner than she had expected: before she had drunk half the bottle, she found her head pressing against the ceiling, and had to stoop[3] to save her neck from being broken. She hastily put down the bottle, saying to herself, "That's quite enough–I hope I sha'n't grow any more–As it is, I ca'n't get out at the door–I do wish I hadn't drunk quite so much!"

Alas! It was too late to wish that! She went on growing, and growing, and very soon had to kneel down on the floor: in another minute there was not even room for this, and she tried the effect of lying down with one elbow against the door, and the other arm curled[4] round her head. Still she went on growing, and, as a last resource, she put one arm out of the window, and one foot up the chimney, and said to herself, "Now I can do no more, whatever happens. What *will* become of me?"

Luckily for Alice, the little magic bottle had now had its full effect, and she grew no larger: still it was very uncomfortable, and, as there seemed to be no sort of chance[5] of her ever getting out of the room again, no wonder she felt unhappy.

---

1. **anything** : *quoi que ce soit, n'importe quoi* (dans un phrase affirmative).
2. **make me** : cf. traduction de *faire* + infinitif, (cf. p. 80, 1).
3. **to stoop** : *se baisser, se pencher, se courber* ; *s'incliner.*
4. **to curl** : 1. (ici) *enrouler.* 2. *boucler* ; *friser.*
5. **chance** : 1. (ici) *fortune, hasard* ; *chance.* 2. *occasion.* 3. *risque.*

« Je sais que, chaque fois que je bois ou mange quoi que ce soit, à coup sûr *quelque chose* d'intéressant va se produire », se dit-elle. « Je vais donc simplement voir ce que cette bouteille a comme effet. J'espère bien qu'elle me fera à nouveau grandir, car j'en ai assez d'être si minuscule ! »

Et c'est ce qui arriva, et bien plus tôt qu'elle ne s'y attendait : avant d'avoir bu la moitié de la bouteille, elle se retrouva avec la tête coincée contre le plafond, et dut la

baisser pour éviter de se briser le cou. Elle reposa précipitamment la bouteille, en se disant : « Ça suffit comme ça. J'espère que je ne vais plus grandir – au point où j'en suis, je ne peux pas passer par la porte – Si seulement je n'avais pas tant bu ! »

Hélas ! Ce souhait arrivait trop tard ! Elle continuait de grandir et de grandir, et très vite elle dut s'agenouiller sur le plancher : une minute plus tard, il n'y avait même plus de place pour cette position, aussi essaya-t-elle de s'allonger, en plaçant un coude contre la porte et en montant l'autre bras enroulé autour de sa tête. Elle continua cependant à grandir, et en dernier ressort elle sortit un bras par la fenêtre et un pied par la cheminée, en se disant : « Maintenant, quoi qu'il arrive, je ne peux rien faire de plus. Que va-t-il advenir de moi ? »

Heureusement pour Alice, la petite bouteille magique était maintenant arrivée au bout de ses effets, et elle cessa de grandir : cependant, grand était son inconfort, et comme on ne voyait pas par quelle bonne fortune elle pourrait jamais sortir de là, il n'était pas étonnant qu'elle se sentît très malheureuse.

"It was much pleasanter at home," thought poor Alice, "when one wasn't always growing larger and smaller, and being ordered about by mice and rabbits. I almost wish I hadn't gone down that rabbit-hole –and yet–and yet - it's rather curious, you know, this sort of life! I do wonder what *can* have happened[1] to me! When I used[2] to read fairy-tales, I fancied that kind of thing never happened, and now here I am in the middle of one! There ought to be a book written about me, that[3] there ought! And when I grow up, I'll write one – but I'm grown up[4] now," she added in a sorrowful tone; "at least there's no room to grow up any more *here*."

"But then," thought Alice, "shall I *never* get any older than I am now? That'll be a comfort, one way never to be an old woman – but then – always to have lessons to learn! Oh, I shouldn't like *that*!"

"Oh, you foolish Alice!" she answered herself. "How can you learn lessons in here? Why, there's hardly room for *you*, and no room at all for any lesson-books!"

And so she went on, taking first one side and then the other, and making quite a conversation of it altogether; but after a few minutes she heard a voice outside, and stopped to listen[5].

"Mary Ann! Mary Ann!" said the voice. "Fetch me my gloves this moment!" Then came a little pattering of feet on the stairs.

---

1. **to happen** : *arriver, advenir* ; *se produire, se passer* ; **whatever happens**, *quoi qu'il advienne.* ❑ Noter aussi la construction personnelle du verbe **happen**, rendu par *il se trouve* : **Paul happens to be my cousin,** *il se trouve que Paul est mon cousin.*

2. **I used to read** : **used to** (forme dite "fréquentative") + verbe correspond à un imparfait français, et décrit un acte qui se

« C'était bien plus agréable à la maison », pensa la pauvre Alice, « on n'y était pas tout le temps en train de grandir et de rapetisser, et on n'y recevait pas d'ordres de la part de lapins et de souris. Je souhaiterais presque n'être jamais entrée dans ce terrier – et pourtant et pourtant – c'est plutôt curieux ce genre de vie ! Je me demande bien ce qui a *pu* m'arriver ! Quand je lisais des contes de fées, je me figurais que ce genre d'histoires n'arrivait jamais, et voici maintenant que je suis au milieu de l'une d'entre elles ! On devrait écrire un livre sur moi, ah, ça oui ! Et quand je serai grande, j'en écrirai un – mais je suis grande maintenant », ajouta-t-elle d'un ton affligé ; « au moins, il n'y a plus de place *ici* pour grandir davantage. »

« Mais alors », pensa Alice, « je ne serai *jamais* plus âgée que je ne le suis maintenant ? D'un côté, ce serait un soulagement de ne jamais devenir vieille – mais d'un autre, d'avoir tout le temps des leçons à apprendre ! Oh que je n'aimerais pas *ça* ! »

« Oh ! Ce que tu es bête, Alice ! » se répondit-elle. « Comment te serait-il possible d'apprendre des leçons ici ? Voyons, il y a à peine assez de place pour *toi*, et pas de place du tout pour des livres de classe ! »

Et elle continua ainsi, prenant d'abord l'un de ces points de vue, puis l'autre, engageant toute une conversation avec elle-même ; mais, au bout de quelques minutes, elle entendit une voix au-dehors, et s'arrêta pour l'écouter.

« Marie-Anne ! Marie-Anne ! » dit la voix. « Apporte-moi mes gants tout de suite ! » Puis on entendit un petit trottinement dans les escaliers.

---

répétait dans le passé (*je lisais*...).

3. **that** : emploi littéraire et ancien de **that** ; **did he like it? – that, he did**, *est-ce qu'il a aimé ça ? –Pour sûr !* (ou *Ah, ça oui !*).

4. **grown up** : double sens (participe passé de **grow up**), *grandi en taille* et (nom) *adulte*.

5. **she stopped to listen** : *elle s'arrêta pour écouter*. ▲ Attention : **she stopped listening**, *elle arrêta d'écouter*.

Alice knew it was the Rabbit coming to look for her, and she trembled till she shook the house, quite forgetting that she was now about a thousand times as large[1] as the Rabbit, and had no reason to be afraid of it.

Presently the Rabbit came up to the door, and tried to open it; but, as the door opened inwards, and Alice's elbow was pressed hard against it, that attempt proved a failure. Alice heard it say to itself, "Then I'll go round and get in at the window.»

"*That* you wo'n't!" thought Alice, and, after waiting till she fancied she heard the Rabbit just under the window, she suddenly spread out her hand, and made a snatch[2] in the air. She did not get hold of anything, but she heard a little shriek and a fall, and a crash of broken glass, from which she concluded that it was just possible it had fallen into a cucumber-frame, or something of the sort.

Next came an angry voice–the Rabbit's–"Pat! Pat! Where are you?" And then a voice she had never heard before, "Sure then I'm here! Digging for apples, yer[3] honour!"

"Digging for apples, indeed!" said the Rabbit angrily. "Here! Come and help me out of *this*!" (Sounds of more broken glass.)

"Now tell me, Pat, what's that in the window?"

"Sure, it's an arm, yer honour!" (He pronounced it "arrum."

"An arm, you goose[4]! Who ever saw one that size? Why, it fills the whole window!"

---

1. **a thousand times as large** : m. à m. *mille fois aussi grande...*
2. **a snatch** : 1. (ici) *geste vif* (pour s'emparer de qqch.) 2. *enlèvement.* 3. *fragment.*
3. **yer = you** (forme populaire).

Alice comprit que c'était le Lapin qui venait à sa recherche, et elle se mit à trembler au point d'ébranler la maison, oubliant tout à fait qu'elle était maintenant mille fois plus grande que le Lapin, et n'avait aucune raison d'avoir peur de lui.

Bientôt le Lapin s'approcha de la porte et essaya de l'ouvrir, mais comme celle-ci s'ouvrait vers l'intérieur et que le coude d'Alice appuyait fortement dessus, sa tentative se révéla un échec.

Alice l'entendit se dire à lui-même : « Dans ce cas, je vais faire le tour et rentrerai par la fenêtre. »

« *Ça*, tu n'y arriveras pas ! » pensa Alice, et, après avoir attendu jusqu'à ce qu'elle eût l'impression d'entendre le Lapin juste au-dessous de la fenêtre, elle étendit soudain sa main au-dehors, et fit le mouvement de chercher à attraper quelque chose. Elle ne saisit rien, mais entendit un petit cri perçant et une chute, puis un fracas de verre brisé, dont elle déduisit que le Lapin était peut-être tombé sur un châssis à concombre ou quelque chose dans ce genre.

Puis une voix courroucée – celle du Lapin – se fit entendre : « Pat ! Pat ! Où êtes-vous ? », suivie d'une voix qu'elle n'avait jamais entendue auparavant : « Sûr que je suis là ! En train de déterrer des pommes, vot' honneur ! »

« En train de déterrer des pommes, vraiment ! » dit le Lapin avec colère. Par ici ! Venez m'aider à me sortir de *ceci*. (Nouveaux bruits de verre brisé.)

« Maintenant, Pat, dis-moi, qu'est-ce qu'il y a à cette fenêtre ? »

« Sûr que c'est un bras, vot' honneur ! » (Il prononça "brras".)

« Un bras, nigaud ! Qui en a jamais vu un de cette taille ? Voyons, il remplit toute la fenêtre ! »

---

4. **goose** (pl. **geese**) : *oie* ; (ici) *nigaud(e), niais(e),* "*dinde*".

"Sure, it does, yer honour: but it's an arm for[1] all that."

"Well, it's got no business there, at any rate: go and[2] take it away!"

There was a long silence after this, and Alice could only hear whispers now and then; such as "Sure, I don't like it, yer honour, at all, at all!" "Do as I tell you, you coward!" and at last she spread out her hand again, and made another snatch in the air. This time there were *two* little shrieks, and more sounds of broken glass. "What a number of cucumber-frames there must be!" thought Alice. "I wonder what they'll do next! As for pulling me out of the window, I only wish they *could*! I'm sure *I* don't want to stay in here any longer!"

She waited for some time without hearing anything more: at last came a rumbling of little cart-wheels, and the sound of a good many voices all talking together: she made out the words: "Where's the other ladder? – Why I hadn't to bring but[3] one. Bill's got the other – Bill! Fetch it here, lad[4]! – Here, put'em up at this corner – No, tie 'em[5] together first – they don't reach half high enough yet – Oh! they'll do well enough. Don't be particular[6] – Here, Bill! catch hold of this rope – Will the roof bear? – Mind that loose slate – Oh, it's coming down! Heads below!" (a loud crash) – "Now, who did that ? – It was Bill, I fancy – Who's to go down the chimney ? – Nay[7], *I* sha'n't! *You* do it! – *That* I wo'n't, then! – Bill's to go down – Here, Bill! the master says you've got to go down the chimney!"

---

1. **for all that** : m. à m. *malgré tout cela* ; **for** est ici équivalent de **in spite of**, *malgré, en dépit de*.

2. Noter l'emploi de **and** entre deux verbes en anglais (cf. plus haut, p. 88, **come and help me...**, *venez m'aider...*).

3. **I hadn't to bring but one** : construction incorrecte (m. à m. *je n'en avais pas à apporter si ce n'est une*), on devrait avoir **I had but one to bring**.

« Sûr qu'il la remplit, vot'honneur : mais c'est un bras tout de même. »

« Bien, en tout cas, il n'a rien à faire ici : allez l'enlever. »

Il y eut ensuite un long silence et Alice ne put distinguer que des chuchotements par intervalle, du genre : « Pour sûr, je n'aime pas ça, vot' Honneur, du tout, du tout. »

« Fais ce que je te dis, poltron ! » Finalement, elle étendit à nouveau sa main au-dehors et refit le geste de chercher à attraper quelque chose en l'air. Cette fois il y eut deux petits cris aigus, et encore plus de bruit de verre brisé. « Qu'est-ce qu'il doit y avoir comme châssis à concombre ! » pensa Alice. « Je me demande ce qu'ils vont faire, la prochaine fois ! Pour ce qui est de me sortir par la fenêtre, si seulement ils *pouvaient* y arriver ! Je ne veux plus rester ici, ça c'est certain ! »

Elle resta aux aguets un moment sans rien entendre de plus : au bout d'un moment, un ébranlement de petites roues de charrette se fit entendre, ainsi que la rumeur d'un bon nombre de voix parlant toutes à la fois ; elle distingua ces mots : « Où est l'autre échelle ? – Eh quoi, je n'en avais qu'une à apporter, c'est Bill qui a l'autre – Bill ! Apportez-la ici, mon gaillard ! – Ici, posez-les dans ce coin. – Non, fixez-les ensemble d'abord... elles ne montent pas à moitié assez haut. – Oh ! Elles feront bien l'affaire. Ne sois pas si exigeant – Ici, Bill ! Attrapez cette corde ! – Est-ce que le toit va tenir ? – Attention à cette ardoise branlante – Oh ! Elle tombe ! Gare à vos têtes ! (bruits de chute) – « Qui a fait ça, maintenant ? – C'est Bill, j'imagine. – Qui va descendre dans la cheminée ?– Que non, *pas moi !* Allez, *vous !* – Ça, pas question, alors ! – Bill doit y aller – Bill, ici ! Le Maître dit que vous devez descendre dans la cheminée ! »

---

4. **lad** : 1. (ici) garçon, *jeune homme*. 2. *gaillard, type*.
5. **'em = them**.
6. **particular** : 1. (ici) *difficile, exigeant* ; *méticuleux, pointilleux*. 2.*distinct, particulier* ; *spécial*. 3. *détaillé*.
7. **nay = no** (forme ancienne).

"Oh! So Bill's got to come down the chimney, has he?" said Alice to herself. "Why, they seem to put everything upon Bill! I wouldn't be in Bill's place for a good deal: this fire-place is narrow, to be sure; but I *think* I can kick a little!"

She drew her foot as far down the chimney as she could, and waited till she heard a little animal (she couldn't guess of what sort it was) scratching and scrambling about in the chimney close above her: then, saying to herself, "This is Bill," she gave one sharp kick, and waited to see what would happen next.

The first thing she heard was a general chorus of, "There goes Bill!" then the Rabbit's voice alone –"Catch him, you by the hedge!" then silence, and then another confusion of voices – "Hold up his head – Brandy[1] now – Don't choke him – How was it, old fellow? What happened to you? Tell us about it!"

At last came a little feeble, squeaking voice ("That's Bill," thought Alice), "Well, I hardly know – No more, thank ye[2]; I'm better now–but I'm a deal too flustered to tell you – all I know is, something comes at me like a Jack-in-the-box, and up I goes[3] like a sky-rocket!"

"So you did, old fellow[4]!" said the others.

"We must burn the house down!" said the Rabbit's voice, and Alice called out as loud as she could, "If you do, I'll set Dinah at you!"

---

1. **Brandy** : *cognac* ; **plum brandy**, *eau-de-vie de prune.*
2. **Ye** = forme ancienne pour **you.**
3. **goes** : incorrect, au lieu de **go.**
4. **old fellow** : *mon vieux* ; **fellow**. 1. *individu, type.* 2. *camarade, compagnon.* 3. *membre, associé.* ❑ **fellow citizen**, *concitoyen.*

« Oh ! Ainsi, n'est-ce pas, Bill doit descendre dans la cheminée ? » se dit Alice. « On dirait qu'ils mettent tout sur le dos de Bill ! Pour rien au monde je ne voudrais être à sa place ; cette cheminée est sans doute étroite ; mais je *pense* être capable de lancer un petit coup de pied ! »

Elle dégagea son pied de la cheminée autant que possible et attendit jusqu'à entendre un petit animal (dont elle ne put deviner le genre) qui, juste au-dessus d'elle, se démenait en s'agrippant dans la cheminée : alors, tout en se disant « C'est Bill », elle donna un bon coup de pied, et attendit de voir ce qui allait se produire ensuite.

La première chose qu'elle entendit fut, lancé par tout un chœur : « Voici Bill », puis la voix du Lapin, seule : « Attrapez-le, vous, près de la haie ! », suivie d'un silence, puis une nouvelle mêlée confuse de voix : « Soutenez-lui la tête – Du cognac, maintenant – Ne l'étouffez pas – Comment cela s'est-il passé mon vieux ? Que vous est-il arrivé ? Racontez-nous ça ! »

Enfin s'éleva une petite voix aiguë. (« C'est Bill », pensa Alice.) « Eh bien, je n'en sais trop rien – suffit, merci ; je me sens mieux maintenant – mais je suis trop troublé pour vous raconter – tout ce que je sais, c'est que quelque chose m'a sauté dessus, comme un diable à ressort et que j'ai décollé vers le ciel comme une fusée ! »

« Et comment, mon vieux ! » disaient les autres.

« On doit faire brûler cette maison ! » fit entendre la voix du Lapin. Et aussi fort qu'elle le put Alice leur cria : « Si vous faites ça, je lance Dinah sur vous ! »

There was a dead silence instantly, and Alice thought to herself, "I wonder what they *will* do next! If they had any sense, they'd take the roof off." After a minute or two, they began moving about again, and Alice heard the Rabbit say, "A barrowful[1] will do, to begin with."

"A barrowful of *what*?" thought Alice. But she had not long to doubt, for the next moment a shower of little pebbles came rattling[2] in at the window, and some of them hit[3] her in the face. "I'll put a stop to this," she said to herself, and shouted out, "You'd better[4] not do that again!" which produced another dead silence.

Alice noticed with some surprise that the pebbles were all turning into little cakes as they lay on the floor, and a bright idea came into her head. "If I eat one of these cakes," she thought, "it's sure to make some change in my size; and, as it ca'n't possibly make me larger, it must make me smaller, I suppose."

So she swallowed one of the cakes, and was delighted to find that she began shrinking directly. As soon as she was small enough to get through the door, she ran out of the house, and found quite a crowd of little animals and birds waiting outside. The poor little Lizard, Bill, was in the middle, being held up by two guinea-pigs, who were giving it something out of a bottle. They all made a rush at Alice the moment she appeared; but she ran off[5] as hard as she could, and soon found herself safe in a thick wood.

---

1. **barrowful** : *brouettée* ; **barrow, wheelbarrow,** *brouette* ; **luggage barrow,** "*diable*".
2. **to rattle** : 1. (ici) *cliqueter, faire du bruit, cogner, crépiter, s'entrechoquer, balloter.* 2. *déconcerter, ébranler.*
3. **to hit (hit, hit)** : 1. (ici) *atteindre, toucher, frapper* ; *heurter* ;

Un silence de mort s'abattit instantanément, et Alice pensa en elle-même : « Je me demande ce qu'ils *vont* faire la prochaine fois ! S'ils avaient un peu de bons sens, ils enlèveraient le toit. » Au bout d'une ou deux minutes, ils recommencèrent à s'agiter et Alice entendit le Lapin dire : « Pour commencer, une brouettée suffira. »

« Une brouettée de *quoi* ? » pensa Alice. Mais son incertitude fut de courte durée car, un instant plus tard, une pluie de petits cailloux s'abattit en crépitant sur la fenêtre, et l'un d'entre eux l'atteignit au visage. « Je vais faire arrêter ça » se dit-elle et elle cria à la cantonade : « Vous feriez mieux de ne pas recommencer ! », ce qui produisit un nouveau silence de mort.

Alice remarqua, non sans surprise, que les cailloux, alors qu'ils gisaient par terre, se transformaient en petits gâteaux, et une idée lumineuse lui vint à l'esprit. « Si je mange l'un de ces gâteaux », pensa-t-elle, « cela provoquera à coup sûr un certain changement dans ma taille et comme il n'y a plus de possibilité de me faire grandir, je suppose que cela me fera rapetisser. »

Aussi, avalant un des gâteaux, elle fut ravie de constater que sa taille diminuait instantanément ; dès qu'elle fut assez petite pour passer par la porte, elle sortit de la maison en courant et tomba sur toute une foule d'oiseaux et de petits animaux attendant au-dehors. Bill, le pauvre petit Lézard, était au milieu, maintenu par deux cochons d'Inde qui lui faisaient boire dans une bouteille. Ils se précipitèrent tous vers Alice dès qu'elle apparut ; mais elle s'enfuit en courant de toutes ses forces et se retrouva bientôt en sécurité dans un bois touffu.

---

blesser. 2. *se cogner, se heurter.* 3. *trouver, tomber sur.* ❑ **to hit the papers,** *être à la une des journaux.*

4. **youd' better = you had better,** *vous feriez mieux de* ; se construit avec l'infinitif sans **to** (comme **you'd rather,** *vous préféreriez*).

5. : **off** est rendu par un verbe, *s'enfuit.* Cf. p. 24, 4.

"The first thing I've got to do," said Alice to herself, as she wandered about in the wood, "is to grow to my right size again; and the second thing is to find my way into that lovely garden. I think that will be the best plan."

It sounded[1] an excellent plan, no doubt, and very neatly and simply arranged; the only difficulty was, that she had not the smallest idea how to set about[2] it; and while she was peering[3] about anxiously among the trees, a little sharp bark just over her head made her look up in a great hurry.

An enormous puppy[4] was looking down at her with large round eyes, and feebly stretching[5] out one paw, trying to touch her. "Poor little thing!" said Alice, in a coaxing[6] tone, and she tried hard to whistle[7] to it; but she was terribly frightened all the time at the thought that it might be hungry, in which case it would be very likely to eat her up in spite of all her up coaxing.

Hardly knowing what she did, she picked up a little bit of stick, and held it out to the puppy; where upon the puppy jumped into the air off all its feet at once, with a yelp of delight, and rushed at the stick, and made believe[8] to worry[9] it; then Alice dodged behind a great thistle, to keep herself from being run over;

---

1. **to sound** : 1. (ici) *sembler* (être), *paraître* ; 2. *sonner, retentir.*

2. **to set about** : 1. (ici) *entreprendre, réaliser, se mettre à.* 2. *faire courir* (bruit). 3. *attaquer.*

3. **to peer** : *regarder attentivement, scruter* ; **to peer into somebody's face**, *dévisager* ; **peering eyes**, *yeux inquisiteurs.*

4. **puppy = pup** : 1. (ici) *jeune chien, chiot.* 2. *rejeton* ; *jeunot, freluquet.*

5. **to stretch** : 1. (ici) *tendre, (s')étendre, étirer, (s')allonger*; *déployer.* 2. *faire durer.* 3. *pousser* (sens figuré).

6. **to coax** : *cajoler, câliner* ; **to coax sth out of sb**, *obtenir qqch. de qn par des cajoleries.*

« La première chose qu'il me faut faire », se dit Alice, alors qu'elle errait dans le bois, « c'est de revenir à ma vraie taille ; et la seconde, c'est de retrouver le chemin de ce délicieux jardin. Je pense que c'est le meilleur plan. »

Cela paraissait, sans aucun doute, un excellent plan, empreint de précision et de simplicité. La seule difficulté était qu'elle n'avait pas la moindre idée de la façon de le réaliser ; et, tandis qu'elle plongeait son regard avec inquiétude sur les arbres, un petit aboiement perçant au-dessus de sa tête lui fit lever les yeux à la hâte.

Un énorme chiot la regardait de haut avec de grands yeux ronds et tendait doucement une patte en essayant de la toucher. « Pauvre petite chose ! » dit Alice, d'un ton cajoleur, et elle essaya de le siffler. Mais elle était en même temps effrayée à l'idée qu'il pourrait être affamé, auquel cas il serait tout à fait capable de l'avaler malgré toutes ses cajoleries.

A peine consciente de ce qu'elle faisait, elle ramassa un petit bout de baguette et le tendit au jeune chien : ce sur quoi ce dernier sauta, les quatre pattes en l'air, avec un jappement de plaisir et il se jeta sur la baguette, feignant de la déchirer à belles dents : alors Alice s'esquiva derrière un grand chardon, pour éviter d'être écrasée ;

---

7. **to whistle** (le **t** est muet) : *siffler* ; **to whistle a dog back**, *siffler un chien pour qu'il revienne.*
8. **to make believe** : m. à m. *faire croire.*
9. **to worry** : 1. (ici) *prendre entre ses dents.* 2. (plus souvent) *s'inquiéter, se faire du souci, se tracasser.*

and the moment she appeared on the other side, the puppy made another rush at the stick, and tumbled head over heels[1] in its hurry to get hold of it; then Alice, thinking it was very like having a game of play with a carthorse, and expecting every moment to be trampled[2] under its feet, ran round the thistle again; then the puppy began a series of short charges at the stick, running a very little way forwards each time and a long way back, and barking hoarsely all the while[3], till at last it sat down a good way off, panting, with its tongue hanging out of its mouth, and its great eyes half shut.

This seemed to Alice a good opportunity for making her escape: so she set off at once, and ran till she was quite tired and out of breath, and till the puppy's bark sounded quite faint in the distance.

"And yet what a dear little puppy it was!" said Alice, as she leant against a buttercup to rest herself, and fanned herself with one of the leaves. "I should have liked teaching it tricks very much, if – if I'd only been the right size to do it! Oh dear! I'd nearly forgotten that I've got to grow up again! Let me see – how *is* it to be managed? I suppose I ought to eat or drink something or other; but the great question is, "What?"

The great question certainly was, what? Alice looked all round her at the flowers and the blades of grass, but she could not see anything that looked like the right thing to eat or drink under the circumstances.

1. **to tumble head over heels** : **to tumble over**, signifie *tomber, faire une chute, culbuter* ; **head over heels** (m. à m. *la tête sur les talons*) renforce l'image pour décrire un acte involontaire, ici, ou volontaire ; **to go head over heels,** *faire une galipette* ; **to turn on one's heels**, *faire demi-tour.*

et dès qu'elle apparut de l'autre côté, le petit chien se précipita à nouveau sur la baguette, et culbuta la tête la première dans sa hâte à s'en saisir ; alors Alice, estimant que c'était comme de jouer avec un cheval de trait et s'attendant à tout instant à être foulée sous ses pieds, courut à nouveau derrière le chardon : sur ce, le jeune chien commença une série de courtes charges contre la baguette, courant chaque fois un tout petit peu en avant et beaucoup en arrière, en poussant sans arrêt des aboiements rauques, jusqu'à ce que finalement il aille s'asseoir à bonne distance, haletant, la langue pendante et ses grands yeux mi-clos.

Cela parut à Alice être une bonne occasion pour prendre la fuite ; elle partit aussitôt en courant jusqu'à ce qu'elle fût épuisée, et que l'aboiement ne s'entendît que très faiblement dans le lointain.

« Et pourtant quel gentil petit chiot c'était ! » dit Alice en s'appuyant contre une renoncule pour se reposer, et en s'éventant avec une de ses feuilles. «J'aurais beaucoup aimé lui apprendre des tours si seulement j'avais eu la bonne taille pour ça ! Oh, mon Dieu ! J'avais presque oublié qu'il faut que je grandisse à nouveau ! Voyons – comment s'y prendre ? Je suppose que je dois manger ou boire quelque chose ; mais la grande question, c'est " Quoi ? "»

C'était bien cela la grande interrogation : quoi ? Alice regarda les fleurs et les brins d'herbe qui l'entouraient, mais ne put rien discerner qui parût la chose qu'il convenait en de telles circonstances, boire ou manger.

---

2. **to trample** : 1. *fouler, piétiner.* 2. *empiéter.*
3. **while (n.)** : 1. *moment* ; *instant* ; **a while,** *quelque temps* ; **in a little while,** *sous peu* ; **stay a while!** *restez un peu !* ❑ **to be worth while,** *valoir la peine.*

There was a large mushroom growing near her, about the same height as herself; and, when she had looked under it, and on both sides of it, and behind it, it occurred[1] to her that she might as well look and see what was on the top of it.

She stretched herself up on tiptoe[2], and peeped[3] over the edge of the mushroom, and her eyes immediately met those of a large blue caterpillar[4], that was sitting on the top, with its arms folded, quietly smoking a long hookah[5], and taking not the smallest notice of her or of anything else.

---

1. **to occur** : 1. (ici) *se présenter, venir (à l'esprit)*, **it occured to me**, *je me suis dit, j'ai pensé*. 2. *avoir lieu, arriver, se produire, survenir.* ❑ **occurence** : *circonstance, événement.*

2. **on tiptoe** : *sur la pointe des pieds* ; **to tiptoe**, *marcher, se dresser sur la pointe des pieds* ; **toe**, *doigt de pied, orteil* ; **to step on sb's toes**, *marcher sur les pieds de qn.*

3. **to peep** : cf. p. 24, 2.

4. **caterpillar** : 1. (ici) *chenille.* 2. **caterpillar (-tractor)**, *auto-chenille, tracteur.*

5. **hookah** : *narghilé* (ou *narghileh, narguilé*) ; mot persan désignant une pipe comportant un long tuyau dans lequel la fumée passe par un flacon d'eau parfumée.

Un grand champignon – à peu près de la même taille qu'elle – poussait à ses côtés, et quand elle l'eut examiné en dessous, sur ses deux côtés, il lui vint à l'idée qu'elle pourrait aussi bien examiner ce qu'il y avait au-dessus.

Se dressant sur la pointe des pieds elle risqua un œil par-dessus le bord du champignon, et son regard rencontra immédiatement celui d'une grande chenille bleue, assise au sommet, les bras croisés, fumant tranquillement un long narghilé, sans prêter, ni à elle ni à quoi que ce fût, la moindre attention.

CHAPTER V

ADVICE FROM A CATERPILLAR

LES CONSEILS D'UNE CHENILLE

The Caterpillar and Alice looked at each other for some time in silence: at last the Caterpillar took the hookah out of its mouth, and addressed[1] her in a languid, sleepy voice.

"Who are *you* ,"said the Caterpillar.

This was not an encouraging opening[2] for a conversation. Alice replied, rather shyly, "I–I hardly know, sir, just at present–at least I know who I *was* when I got up this morning, but I think I must have been changed several times since then."

"What do you mean by that ?" said the Caterpillar, sternly. "Explain yourself!"

"I ca'n't explain *myself*, I'm afraid, Sir," said Alice, "because I'm not myself, you see."

"I don't see," said the Caterpillar.

"I'm afraid I ca'n't put it more clearly," Alice replied very politely, "for I ca'n't understand it myself to begin with; and being so many different sizes in a day is very confusing[3]."

"It isn't," said the Caterpillar.

"Well, perhaps you haven't found it so yet," said Alice; "but when you have to turn into[4] a chrysalis[5]–you will some day, you know–and then after that into a butterfly, I should think you'll feel it a little queer, wo'n't you ?"

---

1. **to address** : 1. (ici) *s'adresser à* ; rappel : pas de préposition en anglais, **he addressed the assembly**, *il a pris la parole devant l'assemblée*. 2. *adresser* (lettre) ; **this letter is addressed to you**, *cette lettre vous est adressée*. ❑ **address** : 1. *allocution, discours* ; 2. *adresse*. 3. *titre* (pour s'adresser à qn.), cf. p. 75, 4.
2. **opening** : 1. (ici) *début* ; *ouverture, porte* ; *percement* (rue) ; *rentrée* (Parlement) ; *inauguration* ; *vernissage*. 2. *embouchure, orifice*,

Alice et la Chenille se regardèrent en silence pendant un moment : finalement la Chenille ôta le narghilé de sa bouche et lui lança d'une voix languissante et ensommeillée.

« *Vous* êtes qui ? »

Ce n'était pas un début de conversation bien encourageant. Un peu mal à l'aise, Alice répondit : « Juste en ce moment, monsieur, je... Je ne sais pas trop – du moins je sais qui j'étais quand je me suis levée ce matin – mais depuis, je crois que j'ai dû changer plusieurs fois ».

« Que voulez-vous dire par là ? » dit la Chenille d'un ton sévère. « Expliquez-vous. »

« Je crains de ne pouvoir expliquer *qui je suis* », répliqua Alice. « Car, voyez-vous, je ne suis pas moi-même. »

« Je ne saisis pas », dit la Chenille.

« Je crains de ne pouvoir être plus claire », répondit très poliment Alice, « car, pour commencer, je n'y comprends rien moi-même ; avoir des tailles aussi différentes en une seule journée, c'est à s'y perdre. »

« Que non ! » dit la Chenille.

« Eh bien », dit Alice, « il est possible que vous n'ayez pas encore découvert cela ; mais quand il vous faudra vous transformer en chrysalide – et, croyez-moi, cela vous arrivera – et ensuite en papillon, j'ai l'impression que vous trouverez cela un peu bizarre, pas vrai ? »

---

trou ; *baie, jour* ; *éclairer* ; *clairière*. 3. *débouché, occasion favorable*.

3. **to confuse** : 1. (ici) *embrouiller* ; **to get confused**, *s'embrouiller, perdre le nord* ; *confondre, dérouter*. 2. **to confuse sth with sth**, *confondre qqch. avec qqch*. 3. *brouiller* ; *mettre le désordre*.

4. **turn into** : *devenir, se transformer, se métamorphoser*.

5. **chrysalis** (pl. **chrysalides** ou **chrysalises**) : *chrysalide* (forme prise par la chenille avant de devenir papillon) .

"Not a bit," said the Caterpillar.

"Well, perhaps *your* feelings may be different," said Alice; "all I know is, it would feel very queer to *me*."

"You!" said the Caterpillar contemptuously[1]. "Who are you ?"

Which brought them back again to the beginning of the conversation. Alice felt a little irritated at the Caterpillar's making[2] such very short remarks, and she drew herself up[3] and said, very gravely, "I think you ought to tell me who *you* are, first."

"Why ?" said the Caterpillar.

Here was another puzzling question; and as Alice could not think of any good reason, and the Caterpillar seemed to be in a *very* unpleasant state of mind, she turned away[4].

"Come back!" the Caterpillar called after her. "I've something important to say!"

This sounded promising, certainly. Alice turned and came back again.

"Keep your temper[5]," said the Caterpillar.

"Is that all?" said Alice, swallowing down her anger as well as she could.

"No," said the Caterpillar.

Alice thought she might as well wait, as she had nothing else to do, and perhaps after all it might tell her something worth hearing.

---

1. **contemptuously** : *avec dédain* ; *d'un air* (ou ton) *méprisant.* ❑ **contempt** : 1. *dédain, mépris* ; **in contempt of,** *au mépris de* ; **familiarity breeds contempt,** *la familiarité engendre le mépris.* 2. **contempt of Court**, *outrage à magistrat, à la Cour.*

2. **at the Caterpillar's making...** : **making** est ici ce que l'on appelle un "nom verbal" signifiant le *fait de faire* (ici, *des remarques*), d'où l'emploi d'un cas possessif avec **caterpillar.**

« Pas du tout », dit la Chenille.

« Eh bien, il est possible que *vous* ressentiez les choses différemment », dit Alice, « tout ce que je sais, c'est qu'à moi cela me semblerait très bizarre. »

« Vous », dit la Chenille avec dédain, « qui êtes-vous ? »

Ce qui les ramena au début de leur conversation. Ces remarques fort sèches proférées par la Chenille suscitèrent une légère irritation chez Alice qui se dressa (de toute sa hauteur) et dit, avec beaucoup de gravité : « je pense que c'est à vous de me dire qui *vous* êtes. »

« Pourquoi ? » dit la Chenille.

C'était là une autre question embarrassante ; et comme Alice n'avait à l'esprit aucune bonne raison et que la Chenille paraissait être dans un état d'esprit *très* déplaisant, elle lui tourna les talons.

« Revenez ! », lui lança la Chenille. « J'ai quelque chose d'important à déclarer ! »

Cela semblait à coup sûr prometteur : Alice se retourna et revint sur ses pas.

« Restez calme », dit la Chenille.

« C'est tout ? » dit Alice, ravalant de son mieux sa colère.

« Non », poursuivit la Chenille.

Alice se dit qu'elle pouvait bien attendre, puisqu'elle n'avait rien d'autre à faire, et que, peut-être, la Chenille pourrait finir par lui dire quelque chose valant la peine d'être entendu.

---

3. **to draw (oneself) up** : 1. (ici) *se dresser de toute sa hauteur.* 2. *lever, relever, approcher.* 3. *dresser, rédiger, établir* (contrat) ; *élaborer.* 3. *ranger le long* (**at the kerb**, *du trottoir*), *s'arrêter.*

4. **to turn away** : 1. (ici) *se détourner, tourner le dos.* 2. *congédier, renvoyer.*

5. **temper** : 1. (ici) *calme, sang-froid* ; **to keep one's temper**, *rester calme, conserver son sang-froid, se contenir* ; **to lose one's temper**, *perdre son sang-froid, s'emporter, se fâcher.* 2. *humeur,* **bad/good temper**, *mauvaise / bonne humeur.*

For some minutes it puffed away without speaking, but at last it unfolded its arms, took the hookah out of its mouth again, and said, "So you think you're changed, do you?"

"I'm afraid I am, Sir," said Alice. "I can't remember things as I used–and I don't keep the same size for ten minutes together!"

"Can't remember *what* things ?"said the Caterpillar.

"Well, I've tried to say, '*How doth the little busy bee,*' but it all came different!" Alice replied in a very melancholy voice.

"Repeat *'You are old, Father William*[1]*,'"* said the Caterpillar.

Alice folded her hands, and began:

"You are old, Father William," the young man said,
"And your hair has become very white;
And yet you incessantly stand on your head
- Do you think, at your age, it is right ?"

"In my youth," Father William replied to his son,
"I feared it might injure the brain;
But, now that I'm perfectly sure I have none,
Why, I do it again and again."

"You are old," said the youth, "as I mentioned before,
And have grown most uncommonly fat;
Yet you turned a back-somersault[2] *in at the door -*
Pray, what is the reason of that?"

---

1. **"You are old father William"** : parodie d'un long poème à but pédagogique et moralisateur de Robert Southey (1774-1843), infligé aux enfants à l'époque de L. Carroll.
2. **somersault** (ou **somerset**) : 1. (ici) *saut périlleux* (**back**, *arrière*) 2. *culbute, galipette.*

Pendant quelques minutes, la Chenille resta sans rien dire, lançant quelques bouffées ; mais finalement elle décroisa les bras, ôta à nouveau le narghilé de sa bouche, et dit : « Ainsi donc, vous pensez être transformée, n'est-ce pas ? »

« Je le crains, monsieur », dit Alice. « Je ne peux me souvenir des choses comme avant – et je ne conserve pas la même taille dix minutes d'affilée. »

« De quelles choses ne pouvez-vous vous souvenir ? » dit la Chenille.

« Eh bien, j'ai essayé de réciter "*Comment l'abeille affairée...*" mais c'est devenu tout autre chose ! » dit Alice d'une voix mélancolique.

« Répondez : *Vous êtes vieux, père Guillaume* », dit la Chenille.

Alice joignit les mains et commença :

« Vous êtes vieux, père Guillaume », dit le jeune homme,
« Et vos cheveux sont devenus très blancs ;
Et pourtant la tête en bas vous restez constamment :
Pensez-vous qu'à votre âge, cette chose-là soit bonne ? »

« Dans ma jeunesse », le père Guillaume à son fils répliqua :
« J'avais peur que cela n'abîme ma cervelle ;
Mais, maintenant que j'ai la certitude que je n'en ai pas,
Eh bien, je le fais encore de plus belle. »

« Vous êtes vieux », dit le jeune, « comme je l'ai déjà dit,
Et vous avez grossi de façon peu ordinaire.
Et pourtant vous avez franchi la porte d'un sault périlleux arrière–
Quelle est la raison de tout cela, je vous prie ? »

"In my youth," said the sage, as he shook his grey locks,
"I kept all my limbs very supple
By the use of this ointment -one shilling the box-
Allow me to sell you a couple [1]?"

"You are old," said the youth, "and your jaws are too weak
for anything tougher than suet;
Yet you finished the goose, with the bones and the beak -
Pray[2] how did you manage to do it ,"

"In my youth," said his father, "I took to [3] the law [4],
And argued each case with my wife;
And the muscular strength, which it gave to my jaw,
Has lasted the rest of my life."

"You are old," said the youth, "one would hardly suppose
That your eye was a steady as ever;
Yet you balanced [5] an eel on the end of your nose -
What made you so awfully clever ,"

"I have answered three questions, and that is enough,"'
Said his father; "don't give yourself airs!
Do you think I can listen all day to such stuff [6]?
Be off, or I'll kick you down stairs!"

---

1. **a couple** : 1. (ici) *deux* ; *une paire*. 2. *couple*.
2. **pray = I pray your** : *je vous en prie* ; *de grâce*.
3. **to take to** : 1. (ici) *se mettre à, s'adonner, commencer*. 2. **to take to s.o.**, *se prendre d'amitié pour qn*.
4. **law** : 1. (ici) *droit*, **to read law**, *faire son droit*. 2. *loi, règle* ; **law and order**, *l'ordre public*. 3. *justice*.
5. **to balance** : 1. (ici) *tenir, mettre, poser en équilibre*. 2. *balancer, peser, comparer*. 3. *équilibrer, compenser*. 4. *arrêter* (**an account**, *un compte*)
6. **stuff** : 1. (ici) *fatras, sottises* ; *truc* ; *fourbi* ; *choses* (bonnes ou mauvaises, selon le contexte). 2. *matière* ; *substance* ; *matériau*. 3. *étoffe*.

« Dans ma jeunesse », dit le vieux sage, ses mèches grises secouant,
« Je maintenais souples tous mes membres
En utilisant – à un shilling la boîte – cet onguent :
Permettez-moi deux boîtes de vous en vendre. »

« Vous êtes vieux », dit le jeune homme, « et vos mâchoires n'ont pas de force
Pour plus coriace que de la graisse de bœuf avaler
Cependant vous avez terminé l'oie, y compris bec et os :
De grâce, comment vous êtes-vous débrouillé ? »

"Dans mon jeune âge", dit son père, au droit je me suis adonné,
Et chaque cas avec mon épouse discutant ;
La force musculaire par ma mâchoire ainsi donnée
M'est restée toute la vie durant. »

« Vous êtes vieux », dit le jeune homme, « et on aurait peine à supposer
Que votre œil pourrait voir aussi bien qu'autrefois ;
Pourtant vous faites tenir une anguille en équilibre sur le bout de votre nez :
Qu'est-ce qui vous a donc rendu si adroit ?

« J'ai répondu à trois questions et c'en est assez »,
Dit son père : « Ne vous donnez pas de ces grands airs !
Croyez-vous que toute la journée de telles sottises je vais écouter ?
Filez, ou je vous ferai dégringoler l'escalier à coups de pied dans le derrière ! »

"That is not said right," said the Caterpillar.

"Not quite right, I'm afraid," said Alice, timidly; "some of the words have got altered[1]."

"It is wrong[2] from beginning to end," said the Caterpillar decidedly, and there was silence for some minutes. The Caterpillar was the first to speak.

"What size do you want to be?" it asked.

"Oh, I'm not particular[3] as to size," Alice hastily replied; "only one doesn't like changing so often, you know."

"I *don't* know," said the Caterpillar.

Alice said nothing: she had never been so much contradicted in all her life before, and she felt that she was losing her temper[4].

"Are you content[5] now?" said the Caterpillar.

"Well, I should like to be a *little* larger, Sir, if you wouldn't mind[6]," said Alice: "three inches is such a wretched height to be."

"It is a very good height indeed," said the Caterpillar angrily, rearing itself upright as it spoke (it was exactly three inches high).

"But I'm not used to it!" pleaded poor Alice in a piteous tone. And she thought to herself, "I wish the creatures wouldn't to be so easily offended!"

"You'll get used to it in time," said the Caterpillar; and it put the hookah into its mouth and began smoking again.

---

1. **to alter** : 1. (ici) *changer, modifier* ; *transformer*. 2. *adapter, ajuster* ; *remanier*. 3. *falsifier, fausser* ; *altérer*.

2. **wrong** : 1. (ici) *faux, erroné, inexact* ; *incorrect*, ❑ **to be wrong (watch)**, *ne pas être à l'heure* (*montre*). 2. *mal, mauvais*. 3. *ce qu'il ne faut pas* ; *ce qui ne va pas*.

3. **particular** : 1. (ici) *exigeant, méticuleux, soigneux, regardant*. 2. *particulier, spécial*.

4. **temper** : cf. p. 107, 5.

« Ce n'est pas récité correctement », dit la Chenille

« Pas tout à fait correct, je le crains », dit Alice, timidement.

« Certains mots ont été changés »

« C'est faux du début à la fin », dit la Chenille d'un ton prononcé, puis ce fut le silence pendant plusieurs minutes.

La Chenille fut la première à parler.

« Quelle taille voulez-vous avoir ? » demanda-t-elle.

« Oh, je ne suis pas exigeante pour ce qui est de la taille », se hâta de répondre Alice ; « ce qui est déplaisant, c'est de changer si souvent, vous savez. »

« Je *ne* sais *pas* », dit la Chenille.

Alice resta muette : jamais encore, de toute sa vie, on ne l'avait à ce point contredite, et elle sentit qu'elle allait perdre son sang-froid.

« Êtes-vous satisfaite de votre taille actuelle ? » demanda la Chenille.

« Eh bien, monsieur », répondit Alice, « si vous n'y voyez pas d'inconvénient, j'aimerais être *un peu* plus grande. Mesurer trois pouces, c'est bien pitoyable. »

« C'est une très bonne taille vraiment », dit la Chenille avec colère, en se dressant de toute sa hauteur (trois pouces exactement).

« Mais je n'y suis pas habituée », plaida Alice d'une voix piteuse, en se disant : « Si seulement ces créatures ne se vexaient pas si facilement ! »

« Vous vous y habituerez à la longue », dit la Chenille, qui reprit le narghilé dans sa bouche et se remit à fumer.

---

5. **to be content** : 1. (ici) *être satisfait(e)*, (*de qqch.*, **with sth.**) ; 2. **to be content to do sth.**, *consentir à faire qqch.* ❑ **to content** : *contenter, satisfaire* ; (**with doing sth.**, *de faire qqch.*).
6. **to mind** : 1. (ici) *voir un inconvénient à.* 2. *prêter, faire attention à.* 3. *surveiller, prendre soin de.*

This time Alice waited patiently until it chose to speak again. In a minute or two the Caterpillar took the hookah out of its mouth and yawned once or twice, and shook itself. Then it got down off the mushroom, and crawled away into the grass, merely remarking as it went, "One side will make you grow taller, and the other side will make you grow shorter."

"One side of *what*? The other side of *what*?" thought Alice to herself.

"Of the mushroom," said the Caterpillar, just as if she had asked it aloud; and in another moment it was out of sight.

Alice remained looking thoughtfully at the mushroom for a minute, trying to make out which were the two sides of it; and as it was perfectly round, she found this a very difficult question. However, at last she stretched her arms round it as far as they would go, and broke off a bit of the edge with each hand.

"And now which is which[1]," she said to herself, and nibbled a little of the right-hand bit to try the effect. The next moment she felt a violent blow underneath her chin: it had struck her foot!

She was a good deal frightened by this very sudden change, but she felt that there was no time to be lost, as she was shrinking rapidly; so she set to work[2] at once to eat some of the other bit. Her chin was pressed so closely against her foot, that there was hardly room to open her mouth; but she did it at last, and managed to swallow a morsel[3] of the left-hand bit.

★☆★

---

1. **which is which** : m. à m. *lequel est lequel ;* **which** pronom ou adjectif interrogatif sujet permet d'opérer un choix parmi un

Cette fois, Alice attendit patiemment que cette dernière reprenne la parole. Au bout d'une ou deux minutes, la Chenille ôta le narghilé, bâilla une ou deux fois et s'étira. Puis elle descendit du champignon et s'éloigna en rampant dans l'herbe, se contentant de lancer, en passant :

« Un côté vous fera grandir et l'autre vous fera rapetisser. »

« Un côté de *quoi* ? L'autre côté de *quoi* ? » se demanda Alice.

« Du champignon », dit la Chenille, comme si Alice avait formulé sa question tout haut ; et un instant plus tard elle fut hors de vue.

Pendant une minute, Alice resta pensive devant le champignon, essayant d'établir quels étaient les deux côtés ; et, comme il était parfaitement rond, elle trouva la question très difficile. Cependant, finalement, elle l'entoura de ses deux bras aussi loin qu'elle le put et, sur le bord, en cassa un morceau de chacune de ses mains.

« Et maintenant, lequel est le bon ? » se dit-elle et elle grignota un peu du morceau qu'elle tenait dans sa main droite pour en tester l'effet ; dans la seconde qui suivit, elle éprouva un coup violent sous le menton : ce dernier venait de heurter son pied.

Elle fut quelque peu effarée par ce changement si soudain ; mais elle sentit qu'il n'y avait pas de temps à perdre, car elle rétrécissait rapidement : aussi se mit-elle immédiatement à manger un peu de l'autre morceau. Son menton était si étroitement appuyé contre son pied, qu'elle avait à peine la place d'ouvrir la bouche ; mais elle y arriva enfin et parvint à avaler une bouchée du morceau qu'elle tenait dans la main gauche.

★☆★

---

ensemble d'éléments.

2. **to set to work** : m. à m. *se mettre à l'œuvre, entreprendre.*

3. **morsel** : m. à m. *petit morceau.*

"Come[1], my head's free at last!" said Alice in a tone of delight, which changed into alarm in another moment, when she found that her shoulders were nowhere to be found: all she could see, when she looked down, was an immense length of neck, which seemed to rise like a stalk out of a sea of green leaves that lay far below her.

"What *can* all that green stuff[2] be," said Alice. "And where *have* my shoulders got to? And oh, my poor hands, how is it I ca'n't see you." She was moving them about as she spoke, but no result seemed to follow, except a little shaking among the distant green leaves.

As there seemed to be no chance of getting her hands up to her head, she tried to get her head down to *them*, and was delighted to find that her neck would bend about easily in any direction, like a serpent[3]. She had just succeeded in curving it down into a graceful zigzag, and was going to dive in among the leaves, which she found to be nothing but the tops of the trees under which she had been wandering, when a sharp hiss made her draw back in a hurry: a large pigeon had flown into her face, and was beating her violently with its wings.

"Serpent!" screamed the Pigeon.

"I'm *not* a serpent!" said Alice indignantly. "Let me alone!"

"Serpent, I say again!" repeated the Pigeon, but in a more subdued tone, and added with a kind of sob, "I've tried every way, and nothing seems to suit them!"

---

1. **come** : (fam.) *allons ! voyons !*

2. **stuff** : cf. p. 110, 6. ; ❑ **green stuff** : (ici) *verdure* ; et aussi *herbages.*

3. **serpent** : *serpent* (désigne aussi le *démon*) plus redoutable que **snake**, *serpent*, également.

« Allons, ma tête est enfin libérée », dit Alice, d'un ton ravi qui se fit bientôt angoissé quand elle découvrit qu'elle ne retrouvait plus ses épaules nulle part : tout ce qu'elle put voir, en regardant vers le sol, ce fut un cou démesuré qui semblait s'élever comme une immense tige, d'un océan de verdure qui s'étendait loin au-dessous d'elle.

« Qu'est-ce que toute cette verdure *peut* bien être », dit Alice. « Et où *sont* passées mes épaules ? Et, oh, mes pauvres mains, comment se fait-il que je ne peux vous voir ? » Tout en parlant, elle les agitait mais il ne semblait rien en résulter, sinon un léger tremblement au loin dans les feuilles.

Comme il semblait n'avoir aucune chance d'amener ses mains jusqu'à sa tête, elle essaya d'abaisser la tête jusqu'à elles, et fut ravie de découvrir que son cou pouvait se courber facilement dans n'importe quelle direction, comme un serpent. Elle venait tout juste de réussir à le plier en un gracieux zigzag et allait plonger la tête dans les feuilles – dont elle découvrit qu'elles n'étaient que les cimes des arbres sous lesquels elle avait erré – lorsqu'un sifflement aigu la fit reculer vivement : un gros pigeon s'était jeté contre son visage, et la frappait violemment de ses ailes.

« Serpent ! » cria le Pigeon.

« Je *ne* suis *pas* un serpent ! » dit Alice avec indignation. « Laissez-moi tranquille ! »

« Serpent, je le répète », répéta le Pigeon, mais d'un ton radouci ; puis il ajouta, avec une sorte de sanglot : « J'ai tout essayé, mais rien ne semble leur convenir. »

"I haven't the least idea what you're talking about," said Alice.

"I've tried the roots of trees, and I've tried banks and I've tried hedges," the Pigeon went on, without attending to her; "but those serpents! There's no pleasing[1] them!"

Alice was more puzzled, but she thought there was no use in saying anything more till the Pigeon had finished.

"As if it wasn't trouble enough hatching[2] the eggs," said the Pigeon; "but I must be on the look-out for serpents night and day! Why, I haven't had a wink[3] of sleep these three weeks!"

"I'm very sorry you've been annoyed," said Alice, who was beginning to see its meaning.

"And just as I'd taken the highest tree in the wood," continued the Pigeon, raising its voice to a shriek, "and just as I was thinking I should be free of them at last, they must needs[4] come wriggling down from the sky! Ugh, Serpent!"

"But I'm *not* a serpent, I tell you!" said Alice. "I'm a – I'm a –"

"Well! *What* are you?" said the Pigeon. "I can see you're trying to invent something!"

"I – I'm a little girl," said Alice, rather doubtfully, as she remembered the number of changes she had gone through, that day.

---

1. **there's no...** : *il n'y a pas moyen de...*, locution suivie de la forme en **-ing**, comme **there is to use**, *ça ne sert à rien* (cf. p. 220), **there's no point in...**, *il est vain de*....
2. **to hatch** : 1. *couver* ; *faire éclore* ; *éclore*. 2. *monter, ourdir tramer* (**a plot**, *un complot*).
3. **wink** : *clignement d'œil* ; s'emploie dans deux expressions pou décrire l'absence de sommeil. **I haven't had a wink of sleep** ou

« Je n'ai pas la moindre idée de ce dont vous parlez », dit Alice.

« J'ai essayé les racines des arbres, j'ai essayé les bords de rivières et les haies », poursuivit le Pigeon sans l'écouter. « Mais ces serpents ! Il n'y a pas moyen de les satisfaire. »

Alice était de plus en plus intriguée, mais elle pensait que cela ne servait à rien d'ajouter quoi que ce soit avant que le Pigeon n'ait fini.

« Comme si ce n'était pas assez d'avoir à couver les œufs », dit le Pigeon ; « mais je dois être sur le qui-vive jour et nuit, à cause des serpents. Franchement, je n'ai pas fermé l'œil ces trois dernières semaines. »

« Je suis désolée que vous ayez eu des ennuis », dit Alice qui commençait à comprendre ce qu'il voulait dire.

« Et juste alors que j'avais trouvé l'arbre le plus haut de la forêt », poursuivit le Pigeon dont la voix devint un cri aigu, « et juste comme je pensais en être enfin débarrassé, il faut qu'ils descendent du ciel en se tortillant. Pouah ! Serpent ! »

« Mais je ne suis pas un serpent, je vous le dis ! » affirma Alice. « Je suis une.... »

« Bien ! *Qu'est-ce que* vous êtes ? » dit le Pigeon. « Je vois bien que vous essayez d'inventer quelque chose ! »

« Je... je suis une petite fille », dit Alice, d'un ton plutôt hésitant, en se rappelant le nombre de métamorphoses par lesquelles elle était passée ce jour-là.

I haven't slept a wink all night, *je n'ai pas fermé l'œil de la nuit, j'ai passé une nuit blanche.*

4. **needs** : adverbe (obsolète) *absolument, nécessairement, de toute nécessité* ; ne s'emploie qu'avec **must** ; **I must needs obey,** *force me fut d'obéir.*

"A likely[1] story indeed!" said the Pigeon in a tone of the deepest contempt. "I've seen a good many little girls in my time, but never *one* with such a neck as that! No, no! You're a serpent; and there's no use denying[2] it. I suppose you'll be telling me next that you never tasted an egg!"

"I *have* tasted eggs, certainly," said Alice, who was a very truthful child; "but little girls eat eggs quite as much as serpents do, you know."

"I don't believe it," said the Pigeon; "but if they do, why, then they're a kind of serpent, that's all I can say."

This was such a new idea to Alice, that she was quite silent for a minute or two, which gave the Pigeon the opportunity of adding, "You're looking for eggs, I know *that* well enough; and what does it matter to me whether[3] you're a little girl or a serpent?"

"It matters a good deal to *me*," said Alice hastily; "but I'm not looking for eggs, as it happens[4]; and if I was[5], I shouldn't want *yours* : I don't like them raw."

"Well, be off, then!" said the Pigeon in a sulky tone, as it settled down again into its nest. Alice crouched down among the trees as well as she could, for her neck kept getting entangled[6] among the branches, and every now and then she had to stop and untwist it.

---

1. **likely** : 1. (ici) *une histoire vraisemblable, en vérité !* emploi familier pour marquer le doute, *la belle histoire !* 2. *susceptible* : **a plan likely to succeed**, *un plan susceptible de réussir*. 3. ❑ (adv.) **very likely**, *très probablement*.

2. **there is no use denying** : cf. p. 118, 1.

3. **whether** : *si oui... ou non* ; indique qu'il faut procéder à un choix.

« Elle est bien bonne, en vérité ! » dit le pigeon, sur le ton du plus profond mépris. « J'ai vu pas mal de petites filles dans ma vie, mais jamais une avec un cou comme ça ! Non, non ! Vous êtes un serpent ; et cela ne sert à rien de le nier. Je suppose que vous allez bientôt me dire que vous n'avez jamais goûté à un œuf ! »

« Des œufs, certainement que j'en *ai* mangé ! » dit Alice, qui était une enfant qui disait toujours la vérité ; « mais les petites filles mangent des œufs tout à fait comme les serpents, vous savez. »

« Je ne le crois pas », dit le Pigeon ; « mais si elles font ça, eh bien alors elles sont une espèce de serpent, c'est tout ce que je peux dire. »

C'était tellement une idée nouvelle pour Alice, qu'elle resta silencieuse pendant une ou deux minutes, ce qui donna au Pigeon l'occasion d'ajouter : « Vous cherchez des œufs, je sais *ça* fort bien ; et qu'est-ce que cela peut me faire à moi que vous soyez une petite fille ou un serpent. »

« Ça me fait beaucoup à *moi* », se hâta de dire Alice ; « mais il se trouve que je ne suis pas en train de chercher des œufs ; et, si c'était le cas, je ne voudrais pas des *vôtres* : je ne les aime pas crus. »

« Eh bien, partez, alors ! » dit le Pigeon d'un ton boudeur, en s'installant de nouveau dans son nid. Alice s'accroupit du mieux qu'elle le put au milieu des arbres, car son cou ne cessait de s'empêtrer dans les branches et de temps en temps il lui fallait s'arrêter pour le détortiller.

---

4. **as it happens** : cf. p. 86, 1.
5. **were** : s'emploie plutôt que **was** à la 1re personne du singulier (et à toutes les autres) quand il y a une supposition qui s'oppose à la réalité (**if I were you**, *si j'étais vous*).
6. **to entangle** : 1. (ici) *(s') empêtrer, embarrasser*. 2. *enchevêtrer, emmêler*.

After a while she remembered that she still held the pieces of mushroom in her hands, and she set to work very carefully, nibbling[1] first at one and then at the other, and growing sometimes taller and sometimes shorter, until she had succeeded in[2] bringing herself down to her usual height.

It was so long since she had been anything near the right size, that it felt quite strange at first; but she got used to it in a few minutes, and began talking to herself, as usual. "Come, there's half [3] my plan done now! How puzzling all these changes are! I'm never sure what I'm going to be, form one minute to another! However, I've got back to my right size: the next thing is, to get into that beautiful garden–how *is* that to be done, I wonder?" As she said this, she came suddenly upon an open place, with a little house in it about four feet high."Whoever[4] lives there," thought Alice, "it'll never do to come upon them *this* size: why, I should frighten them out of their wits[5]!" So she began nibbling at the right-hand bit again, and did not venture to go near the house till she had brought herself down to nine inches high.

---

1. **to nibble** : 1. (ici) *grignoter* ; *mordiller* ; (poisson) *mordre* (**at the bait,** *à l'appât*), ❑ **nibble** : *touche.* 2. (fam.) **to nibble at,** *critiquer qqch.*

2. **she had succeeded (in bringing)** : **to succeed** : 1. (ici) *réussir, parvenir, arriver* (suivi d'un verbe, se construit avec la préposition **in + -ing**) ; **he succeeds in all he does,** *il réussit tout ce qu'il entreprend.* 2. *succéder* (*à qqch.*, **to sth.**), *hériter* (de) ; **she succeeded her father,** *elle a succédé à son père.*

3. **half** (pl. **halves**) : 1. ici (n.) *moitié* ; **to fold in half,** *plier en deux* ; *demi(e)*, **three hours and a half,** *trois heures et demie* ; **the**

Au bout d'un moment, elle se rappela qu'elle tenait encore dans ses mains les morceaux du champignon, et très soigneusement elle se mit à l'ouvrage, grignotant d'abord l'un d'entre eux, puis l'autre, tantôt grandissant, tantôt rapetissant, jusqu'à ce qu'elle réussisse à retrouver sa taille normale.

Il y avait si longtemps qu'elle n'avait un tant soit peu approché sa taille réelle, qu'elle se sentit d'abord toute drôle, mais elle s'y habitua en quelques minutes et commença, comme à l'accoutumée, à se parler à elle-même. « Allons, voilà la moitié de mon plan réalisé ! Comme tous ces changements sont bizarres ! Je ne suis jamais sûre de ce que je vais devenir d'une minute à l'autre ! Cependant, j'ai repris ma taille normale : la prochaine chose à faire c'est de pénétrer dans ce beau jardin – comment y parvenir, je me le demande ? » Sur ces mots, elle atteignit soudain un espace dégagé où se dressait une maisonnette d'environ un mètre vingt de haut. « Quels que soient ceux qui y demeurent », songea Alice, « il n'est pas question de me présenter à eux avec cette taille : c'est que je les rendrais fous de terreur ! » Aussi elle recommença à grignoter le morceau qu'elle tenait dans sa main droite, et ne se risqua pas à s'approcher de la maison avant de s'être réduite à ving-cinq centimètres.

---

second half, *la deuxième mi-temps.* 2. (adj.) *demi* ; **half an hour** (U.S.), **a half hour,** *une demi-heure.*

4. **who ever** : 1. (ici) *quiconque* ; *celui qui.* 2. *qui que* + subjonctif ; **who ever he may be,** *quel qu'il puisse être.* 3. dans une interrogation, pour insister : **whoever told you that** ? *qui a bien pu dire ça* ?

5. **I should frighten them out of their wits** : m. à m. *je les effraierais (à en être) hors de leur esprit* (**wit**) ; **to be out of one's wits,** *avoir perdu la tête, la raison,* d'où **to frighten out of one's wits,** *rendre fou de terreur, faire une peur bleue.*

CHAPTER VI

Pig and Pepper

Porc et Poivre

For a minute or two she stood looking at the house, and wondering what to do next, when suddenly a footman[1] in livery came running out of the wood – (she considered[2] him to be a footman because he was in livery: otherwise, judging by his face only, she would have called him a fish)–and rapped loudly at the door with his knuckles. It was opened by another footman in livery, with a round face, and large eyes like a frog; and both footmen, Alice noticed, had powdered hair that curled[3] all over their heads. She felt very curious to know what it was all about, and crept a little way out of the wood to listen.

The Fish-Footman began by producing from under his arm a great letter, nearly as large as himself, and this he handed over to the other, saying, in a solemn tone, "For the Duchess. An invitation from the Queen to play croquet." The Frog-Footman repeated, in the same solemn tone, only changing the order of the words a little, "From the Queen. An invitation for the Duchess to play croquet."

Then they both bowed[4] low, and their curls got entangled together.

Alice laughed so much at this, that she had to run back into the wood for fear of their hearing her; and, when she next peeped out, the Fish-Footman was gone, and the other was sitting on the ground near the door, staring stupidly up into the sky.

---

1. **footman** : 1. (ici) *valet de pied* ; *laquais.* 2. *fantassin* (ancien).

2. **to consider** : 1. (ici) *estimer, tenir pour, considérer comme* ; *trouver* ; ❑ **considering**, *en égard à, étant donné.* 2. *réfléchir, songer à* ; *étudier, examiner* ; **all things considered**, *tout compte fait, réflexion faite, à tout prendre.*

3. **that curled**... : m. à m. *qui bouclaient...* ; **to curl** : 1. (ici) *boucler, friser.* 2. *onduler, s'enrouler* ; *s'élever en spirale* (fumée) ; **curls** : 1. (ici) *boucle.* 2. *spirale.*

Pendant une minute ou deux elle resta plantée à regarder la maison en se demandant ce qu'elle allait faire ensuite, lorsque tout à coup un valet en livrée sortit du bois en courant – (elle estima que c'était un valet à cause de sa livrée : car autrement, à en juger par son faciès, elle l'aurait pris pour un poisson). D'un coup sec et sonore de ses phalanges, il frappa la porte qui lui fut ouverte par un autre valet en livrée, avec des yeux de grenouille dans un visage rond ; les deux valets, remarqua Alice, avaient la tête recouverte de cheveux bouclés et poudrés. Très curieuse de savoir de quoi il retournait, elle se faufila un peu hors du bois pour écouter.

Le Valet-Poisson commença par présenter une grande lettre presque aussi grande que lui, qu'il avait sous le bras et il la remit à l'autre, déclarant d'un ton solennel : « Pour la Duchesse. Une invitation de la Reine pour jouer au croquet. » Le Valet-Grenouille répéta, du même ton solennel, en changeant seulement un peu l'ordre des mots : « De la reine. Une invitation à la Duchesse pour jouer au croquet. »

Puis tous deux s'inclinèrent et leurs boucles s'entremêlèrent.

Cela fit tellement rire Alice qu'elle dut retourner en courant vers le bois de crainte d'être entendue ; et, quand elle se retourna ensuite, le Valet-Poisson était parti, tandis que l'autre était assis par terre près de la porte, fixant le ciel d'un air stupide.

---

4. **to bow** : 1. (ici) *s'incliner, saluer* (en baissant la tête) ; *baisser (la tête)* ; **bow**, *inclination de la tête, salut, révérence.* ▲ Attention, prononcer [ba-ou] mais quand **bow** signifie *arc, archet*, on prononcera [be-ou].

Alice went timidly up to the door, and knocked.

"There's no sort of use in knocking," said the Footman, "and that for two reasons. First, because I'm on the same side of the door as you are. Secondly, because they're making such a noise inside, no one could possibly hear you." And certainly there *was* a most extraordinary noise going on within – a constant howling[1] and sneezing, and every now and then a great crash[2], as if a dish or kettle had been broken to pieces.

"Please, then," said Alice, "how am I to get in?"

"There might be some sense in your knocking[3]," the Footman went on without attending to[4] her, "if we had the door between us. For instance, if you were *inside*, you might knock, and I could let you out, you know." He was looking up into the sky all the time he was speaking, and this Alice thought decidedly uncivil. "But perhaps he ca'n't help it," she said to herself; "his eyes are so *very* nearly at the top of his head. But at any rate he might answer questions.–How am I to get in ?" she repeated, aloud.

"I shall sit here," the Footman remarked, "till to-morrow–."

At this moment the door of the house opened, and a large plate came skimming out[5], straight at the Footman's head: it just grazed his nose, and broke to pieces against one of the trees behind him.

---

1. **howling** : 1. (ici) (n.) *hurlement* ; *grondement, mugissement.* 2. (adj.) *hurlant, furieuse* (tempête) ; (fam.) *énorme* ; **howling success**, *succès fou.*
2. **crash** : 1. (ici) *fracas.* 2. *catastrophe, chute, effondrement.* 3. *accident, collision.*
3. **your knocking** : m. à m. *votre fait de frapper* ou *le fait que vous frappiez* ; ❑ Rappel, la forme en **-ing** : **knocking** est un "nom

Alice s'approcha timidement de la porte et frappa.

« Il n'est pas le moins du monde utile de frapper », fit le Valet, « et cela pour deux raisons. Premièrement parce que je suis du même côté de la porte que vous ; deuxièmement parce qu'ils font tellement de bruit, là-dedans, que personne ne peut vous entendre. » A coup sûr, il y *avait* à l'intérieur un bruit incroyable – des hurlements et des éternuements ininterrompus, avec de temps à autre un grand fracas, comme si un plat ou une bouilloire volait en éclats.

« Alors, s'il vous plaît », dit Alice, « comment puis-je entrer ? »

« Frapper à la porte aurait un certain sens », poursuivit le Valet, sans lui prêter attention, « si la porte nous séparait. Par exemple, si vous étiez à l'*intérieur*, vous pourriez frapper, et je pourrais vous faire sortir, voyez-vous. »

Tout en parlant il fixait le ciel, ce qui parut à Alice très impoli. « Mais peut-être ne peut-il faire autrement », se dit-elle ; « ses yeux sont *tellement* près du sommet de sa tête. Mais, en tout cas, il pourrait répondre à mes questions. – Comment puis-je entrer ? » répéta-t-elle tout fort.

« Je vais rester assis, ici », fit le Valet, « jusqu'à demain. »

A ce moment, la porte de la maison s'ouvrit, et une grande assiette vola en direction de la tête du Valet : elle ne fit que lui effleurer le nez et se brisa en morceaux contre un des arbres, derrière lui.

---

verbal"; en tant que nom, **knocking** peut donc être précédé d'un adjectif possessif (ici **your**) ; en tant que verbe, **knocking** pourrait avoir un complément (**at the door**, par exemple).

4. **to attend to** : *prêter attention à* ; *s'occuper de*, cf. 74,1.

5. **skimming out (to skim)** : 1.(ici) *voler, glisser, raser* (sol), *effleurer* ; ❑ **to skim through a novel** : *parcourir rapidement un roman.* 2. *écrémer* (lait) ; *dégraisser* (soupe);

6. **to graze** : 1. (ici) *effleurer, raser.* 2. *écorcher, érafler.* 3. *brouter, paître.*

"–or next day, maybe," the Footman continued in the same tone, exactly as if nothing had happened.

"How am I to get in?" asked Alice again, in a louder tone.

"*Are* you to[1] get in at all[2]?" said the Footman. "That's the first question, you know."

It was, no doubt: only Alice did not like to be told so. "It's really dreadful," she muttered to herself, "the way all the creatures argue[3]. It's enough to drive one crazy[4]!"

The Footman seemed to think this a good opportunity for repeating his remark, with variations. "I shall sit here," he said, "on and off[5], for days and days."

"But what am *I* to do?" said Alice;

"Anything you like," said the Footman, and began whistling.

"Oh, there's no use in talking to him," said Alice desperately: "he's perfectly idiotic!" And she opened the door and went in.

The door led right into a large kitchen, which was full of smoke from one end to the other: the Duchess was sitting on a three-legged stool in the middle, nursing a baby; the cook was leaning over the fire, stirring a large cauldron which seemed to be full of soup.

"There's certainly too much pepper in that soup!" Alice said to herself, as well as she could for sneezing.

---

1. **how am I to...** : *comment vais-je... ;* **to be to** : (ici) *aller* ; *devoir* (intention).

2. **at all** : m. à m. *du tout* (plus souvent à la forme négative, **not at all**, *pas du tout*).

3. **to argue** : 1. (ici) *discuter* ; *(se) disputer* ; *plaider*. 2. *démontrer, indiquer.*

4. **to drive crazy** : *affoler, rendre fou* ; **to be crazy over...**, *être fou de...*

5. **on and off** : *par intervalle, de temps en temps, de temps à autre, par intermittence.*

« … ou après-demain peut-être », poursuivit le Valet sur le même ton, comme si rien ne s'était passé.

« Comment vais-je faire pour entrer ? » redemanda encore Alice, d'un ton plus élevé.

« Faut-il seulement que vous entriez ? » fit le Valet. « C'est la principale question, voyez-vous. »

Ça l'était, sans aucun doute : seulement Alice n'aimait pas se l'entendre dire. « C'est vraiment épouvantable », se murmurait-elle, « cette façon de discuter qu'ont ces créatures. Il y a de quoi vous rendre folle. »

Le Valet parut estimer que c'était une bonne occasion de répéter sa remarque, avec des variantes. « Je vais prendre siège ici », fit-il, « de temps à autre pendant des jours et des jours. »

« Mais que dois-*je* faire, moi ? » fit Alice.

« Tout ce qu'il vous plaira », dit le Valet qui se mit à siffler.

« Oh, cela ne sert à rien de lui parler », dit Alice, désespérée, « il est complètement idiot ! » Sur ce, elle ouvrit la porte et entra. Cette porte donnait directement sur une grande cuisine tout enfumée : la Duchesse, assise au milieu sur un tabouret à trois pieds, berçait un bébé ; la cuisinière était penchée sur le feu et remuait ce qui paraissait être de la soupe dans un gros chaudron.

« Il y a certainement trop de poivre dans cette soupe ! » se dit Alice, pour autant que son éternuement le lui permit.

There was certainly too much of it in the *air*. Even the Duchess sneezed occasionally; and the baby was sneezing and howling alternately without a moment's pause. The only two creatures in the kitchen that did *not* sneeze, were the cook, and a large cat which was lying on the hearth and grinning from ear to ear.

"Please would you tell me," said Alice, a little timidly, for she was not quite sure whether it was good manners for her to speak first, "why your cat grins like that?"

"It's a Cheshire cat," said the Duchess, "and that's why. Pig!"

She said the last word with such sudden violence that Alice quite jumped; but she saw in another moment that it was addressed to the baby, and not to her, so she took courage, and went on again:

"I didn't know that Cheshire cats always grinned; in fact, I didn't know that cats *could* grin[1]."

"They all can," said the Duchess; "and most of 'em do."

"I don't know of any that do," Alice said very politely, feeling quite pleased to have got into a conversation.

"You don't know much," said the Duchess; "and that's a fact."

Alice did not at all like the tone of this remark, and thought it would be as well to introduce some other subject of conversation. While she was trying to fix on one, the cook took the cauldron of soup off the fire, and at once set to work throwing everything within her reach at the Duchess and the baby–the fire-irons came first; then followed a shower of saucepans, plates, and dishes.

---

1. **to grin** : *rire* ou *sourire d'une oreille à l'autre* ; *grimacer un sourire.* ❑ **to grin as a Cheshire cat,** *rire à se fendre la bouche, avoir un*

Il y en avait certainement trop dans l'*air*. Il arrivait même à la Duchesse d'éternuer, et quant au bébé il éternuait et hurlait alternativement, sans arrêt. Les deux seules créatures de la cuisine à *ne pas* éternuer étaient la cuisinière et un gros chat qui, assis devant l'âtre, souriait d'une oreille à l'autre.

« Voudriez-vous, s'il vous plaît », demanda Alice un peu timidement, car elle ne savait pas trop s'il était bien convenable qu'elle parlât la première, « me dire pourquoi votre chat sourit comme cela ? »

« C'est un chat du Cheshire », dit la Duchesse, « et voilà pourquoi. Porc ! »

Elle lança ce dernier mot avec une violence si soudaine, qu'Alice en sursauta ; mais elle s'aperçut aussitôt que cela s'adressait non pas à elle mais au bébé et, reprenant courage, elle poursuivit :

« Je ne savais pas que les chats du Cheshire souriaient toujours ; en fait, je ne savais pas que les chats *pouvaient* sourire. »

« Ils le peuvent tous », fit la Duchesse ; « et la plupart d'entre eux le font. »

« Je n'en connais aucun qui le fasse », dit Alice très poliment, tout heureuse d'avoir entamé une conversation.

« Vous ne savez pas grand-chose », fit la Duchesse, « ça c'est un fait. »

Alice n'apprécia pas du tout le ton de cette remarque et pensa qu'il valait mieux introduire un autre sujet de conversation. Tandis qu'elle essayait d'en choisir un, la cuisinière ôta le chaudron du feu et se mit aussitôt à lancer tout ce qu'elle avait à portée de main en direction de la Duchesse et du bébé – d'abord les garnitures de foyer et ensuite une pluie de casseroles, d'assiettes et de plats.

---

sourire fendu jusqu'aux oreilles ; expression toute faite, commune à l'époque de L. Carroll, ayant peut-être pour origine le fait que, à une époque, les fromages du Cheshire (où naquit Carroll) eurent la forme d'une tête de chat grimaçant un sourire…

The Duchess took no notice of them even when they hit her; and the baby was howling so much already, that it was quite impossible to say whether the blows hurt it or not.

"Oh, *please* mind what you're doing!" cried Alice, jumping up and down in an agony[1] of terror. "Oh, there goes his *precious*[2] nose"; as an unusually large saucepan flew close by it, and very nearly carried it off.

"If everybody minded their own business," the Duchess said, in a hoarse growl, "the world would go round a deal faster than it does."

"Which would *not* be an advantage," said Alice, who felt very glad to get an opportunity of showing off[3] a little of her knowledge. "Just think what work it would make with the day and night! You see the earth takes twenty-four hours to turn round on its axis[4]–"

"Talking of axes," said the Duchess, "chop off her head!"

Alice glanced rather anxiously at the cook, to see if she meant to take the hint; but the cook was busily in stirring the soup, and seemed not to be listening, so she went on again: "Twenty-four hours, I *think*; or is it twelve? I –"

"Oh, don't bother *me*," said the Duchess; "I never could abide[5] figures!" And with that she began nursing her child again, singing a sort of lullaby to it as she did so, and giving it a violent shake at the end of every line:

---

1. **agony** : 1. (ici) *angoisse* ; **to be in an agony of**, *être en proie à mourir de*. 2. *douleur* ; *supplice*. 3. ❑ **agony column**, *courrier du cœur*.

2. **precious** : 1. (ici) *chéri* (pris ironiquement). 2. *précieux*. 3. (fam.) *joli, fieffé* ; **a precious pair**, *une belle paire*. 4. (adv.) *joliment, diablement*.

Même lorsqu'elle était touchée, la Duchesse n'y prêtait aucune attention ; quant au bébé, il hurlait déjà tellement qu'il était tout à fait impossible de dire si les projectiles lui faisaient mal ou non.

« Oh ! je *vous en prie*, attention à ce que vous faites ! » s'écria Alice, morte de terreur, en sautillant sur place. « Oh ! voilà son petit nez *chéri* ! », alors qu'une casserole d'une taille peu commune le frôla en passant, et faillit l'emporter.

« Si chacun se mêlait de ses affaires », grogna la Duchesse d'une voix rauque, « le monde tournerait plus vite qu'il ne le fait. »

« Ce qui ne serait *pas* un avantage », dit Alice, très heureuse de saisir l'occasion d'étaler un peu son savoir. « Pensez seulement au travail que cela provoquerait avec le jour et la nuit ! Voyez-vous, il faut vingt-quatre heures à la Terre pour tourner sur son axe. »

« A propos de traîtres », fit la Duchesse, « qu'on lui tranche la tête ! »

Alice jeta un coup d'œil plutôt inquiet vers la cuisinière pour voir si elle avait l'air de saisir l'allusion ; mais la cuisinière était très occupée à remuer la soupe et n'avait pas l'air d'écouter, aussi se risqua-t-elle à poursuivre : « Vingt-quatre heures, *je pense* ; ou à moins que ce ne soit douze ? Je… »

« Oh ! ne *m*'ennuyez pas », dit la Duchesse ; « je n'ai jamais pu supporter les chiffres ! » Et, sur ce, elle se remit à bercer son enfant, et à lui chanter une sorte de berceuse, tout en le secouant violemment à la fin de chaque vers :

---

3. **to show off** : 1. (ici) *mettre en valeur, faire étalage*. 2. *s'afficher, parader, plastronner, se pavaner*.
4. **axis** : *axe* ; la prononciation de **axis** [aksiz] permet un jeu de mots phonétique avec **axes**, *haches*, pluriel de **ax**, *hache*, et prononcé également [aksiz].
5. **to abide** : (ici) *supporter* (phrase négative ou interrogative).

"Speak roughly to your little boy[1]*,*
And beat him when he sneezes
He only does it to annoy
Because he knows it teases[2]*."*

CHORUS

(in which the cook and the baby joined):
"Wow! wow! wow!

While the Duchess sang the second verse[3] of the song, she kept tossing[4] the baby violently up and down, and the poor little thing howled so, that Alice could hardly hear the words:

"I speak severely to my boy,
I beat him when he sneezes:
For he can thoroughly enjoy
The pepper when he pleases!"

CHORUS

"Wow! wow! wow!

"Here! you may nurse it a bit, if you like!" the Duchess said to Alice, flinging the baby at her as she spoke. "I must go and get ready to play croquet with the Queen," and she hurried out of the room.. The cook threw a frying-pan after her as she went, but it just missed her.

Alice caught the baby with some difficulty, as it was a queer-shaped little creature, and held out its arms and legs in all directions, "just like a star-fish," thought Alice.

---

1. Autre parodie d'un poème moralisateur du milieu du 19e siècle.
Speak gently ! It is better for
to rule by love than fear.
Parlez gentiment ! Il vaut de loin mieux
Diriger par l'amour que par la peur...

« Parlez rudement à votre petit gars
Et battez-le quand il se met à éternuer
Ce n'est que pour vous embêter qu'il fait ça
Parce qu'il sait que ça va vous tourmenter. »

REFRAIN
(repris en chœur par la cuisinière et le bébé) :
« Ouais ! Ouais ! Ouais ! »

Tout en chantant le second couplet de la chanson, la Duchesse continuait à faire sauter le bébé en l'air et la pauvre petite chose hurlait tellement qu'Alice pouvait à peine distinguer les paroles :

« Je parle sévèrement à mon petit gars
Et quand il éternue je le bats :
Car il peut apprécier tout à fait
Le poivre quand cela lui plaît ! »

REFRAIN
« Ouais ! Ouais ! Ouais ! »

« Hé là ! Vous pouvez le bercer un peu si ça vous fait plaisir ! », dit la Duchesse à Alice et, sur ces paroles, elle lui jeta le bébé. « Il faut que je me prépare pour aller jouer au croquet avec la Reine », et elle sortit précipitamment. La cuisinière lança sur elle une poêle à frire, qui la manqua de justesse.

Alice attrapa le bébé avec difficulté, car c'était une petite créature bizarrement formée, qui allongeait ses bras et jambes dans toutes les directions, « tout à fait comme une étoile de mer », pensa Alice.

---

2. **to tease** : 1. (ici) *taquiner, faire enrager*; *asticoter*. 2. *effiler, effilocher.*
3. **verse** : 1. (ici) *couplet*; *strophe*. 2. *verset.* 3. *vers* ; ❑ *vers,* **line.**
4. **to toss** : 1. (ici) *lancer, jeter.* ❑ **to toss up a coin,** *jouer à pile ou face.* 2. *être agité, se secouer.*

The poor little thing was snorting[1] like a steam-engine when she caught it, and kept doubling[2] itself up and straightening itself out again, so that altogether[3], for the first minute or two, it was as much as she could do to hold it.

As soon as she had made out the proper way of nursing it (which was to twist it up into a sort of knot, and then keep tight hold of its right ear and left foot, so as to prevent its undoing itself), she carried it out into the open air. "If I don't take this child away with me," thought Alice, "they're sure to kill it in a day or two. Wouldn't it be murder to leave it behind?" She said the last words out loud, and the little thing grunted in reply (it had left off sneezing by this time;) "Don't grunt," said Alice; "that's not al all a proper way of expressing yourself."

The baby grunted again, and Alice looked very anxiously into its face to see what was the matter with it. There could be no doubt that it had a *very* turn-up[4] nose, much more like a snout[5] than a real nose; also its eyes were getting extremely small for a baby: altogether Alice did not like the look of the thing at all. "But perhaps it was only sobbing," she thought, and looked into its eyes again, to see if there were any tears.

No, there were no tears. "If you're going to turn into a pig, my dear," said Alice, seriously, "I'll have nothing more to do with you. Mind now!"

---

1. **to snort** : *ronfler* ; *renifler.*
2. **to double up** : *se plier en deux* (**with laughter**, *se tordre de rire*).
3. **altogether** : 1. (ici) *somme toute.* 2. *entièrement.*
4. **turn-up = turned up** : *retroussé*, "*en trompette*".
5. **snout** : 1. (ici) *groin* ; *museau* ; *mufle.*

La pauvre petite chose ronflait comme une machine à vapeur quand elle l'attrapa et ne cessait de se plier en deux et de se redresser, si bien que, tout compte fait, pendant une ou deux minutes, elle eut le plus grand mal à le tenir.

Dès qu'elle eut trouvé la façon qui convenait de s'en occuper (qui consistait à l'entortiller en une sorte de nœud, puis à tenir en main fermement son oreille droite et son pied gauche, pour l'empêcher de se défaire), elle le transporta à l'air libre. « Si je n'emporte pas cet enfant avec moi », pensa Alice, « il est sûr qu'ils le tueront d'ici un jour ou deux ; ne serait-ce pas un crime de le laisser ici ? » Elle prononça ces derniers mots à voix haute, et le petit être répondit par un grognement (il avait alors cessé d'éternuer). « Ne grogne pas », dit Alice ; « ce n'est pas du tout une façon convenable de s'exprimer. »

Le bébé grogna à nouveau et Alice examina son visage avec inquiétude pour voir ce qui n'allait pas chez lui. Il ne faisait aucun doute que son nez était *très* retroussé, beaucoup plus proche d'un groin que d'un véritable nez ; de plus, pour un bébé, ses yeux se rapetissaient particulièrement ; au total, l'allure de la créature ne plut guère à Alice. « Mais peut-être ne fait-il que sangloter », pensa-t-elle, et elle examina à nouveau ses yeux, pour voir s'il y avait des larmes.

Non, il n'y avait pas de larmes. « Si tu dois te transformer en porc, mon cher », dit Alice sérieusement, « je n'aurai plus rien avoir à faire avec toi. Prends-y garde ! »

The poor little thing sobbed again (or grunted, it was impossible to say which), and they went on for some while in silence.

Alice was just beginning to think to herself, "Now, what am I to do with this creature when I get it home," when it grunted again, so violently, that she looked down into its face in some alarm. This time there could be *no* mistake about it: it was neither more nor less than a pig, and she felt that it would be quite absurd for her to carry it any further.

So she set the little creature down, and felt quite relieved to see it trot away quietly into the wood. "If it had grown up," she said to herself, "it would have made a dreadfully ugly child: but it makes rather a handsome pig, I think." And she began thinking over other children she knew, who might do very well as pigs, and was just saying to herself, "If one only knew the right way to change them–" when she was a little startled by seeing the Cheshire Cat sitting on a bough of a tree a few yards off.

The Cat only grinned when it saw Alice. It looked good-natured, she thought: still it had *very* long claws and a great many teeth, so she felt that it ought to be treated with respect.

"Cheshire Puss," she began, rather timidly, as she did not at all know whether it would like the name; however, it only grinned a little wider.

La pauvre petite chose se remit à sangloter (ou à grogner, impossible de dire au juste) et ils continuèrent à avancer un moment en silence.

Alice commençait à se demander : « Bon, que vais-je devoir faire de cette créature quand je rentrerai à la maison ? », lorsque la chose grogna à nouveau, si violemment qu'Alice, baissant les yeux sur son visage, en fut alarmée. Cette fois, on *ne* pouvait *pas* s'y tromper : ce n'était ni plus ni moins qu'un *cochon,* et elle comprit qu'il serait tout à fait absurde de l'emporter plus loin. Aussi ayant déposé la petite créature par terre fut-elle toute soulagée de la voir s'éloigner dans le bois en trottinant. « S'il avait grandi », se dit-elle, « ç'aurait fait un enfant terriblement affreux ; mais cela fait un cochon plutôt mignon, je crois. » Et elle se mit à penser à d'autres enfants qu'elle connaissait et qui pourraient faire d'excellents cochons, et alors qu'elle se disait : « si seulement on connaissait le bon moyen de les transformer », elle sursauta quelque peu à la vue du chat du Cheshire, assis à quelques pas sous la branche d'un arbre.

Le chat se contenta de sourire en voyant Alice. Il paraît accommodant, pensa-t-elle ; il avait de *très* longues griffes et un grand nombre de dents, aussi estima-t-elle qu'il convenait de le traiter avec respect.

« Minet du Cheshire », commença-t-elle, plutôt timidement, car elle ne savait pas du tout si ce nom lui plaisait ; mais il ne fit que sourire plus largement.

"Come, it's pleased so far," thought Alice, and she went on. "Would you tell me, please, which way I ought to go from here?"

"That depends a good deal on[1] where you want to get to," said the Cat.

"I don't much care[2] where–" said Alice.

"Then it doesn't matter which way you go," said the Cat.

"–so long as I get somewhere," Alice added as an explanation.

"Oh, you're sure to do that," said the Cat, "if you only walk long enough."

Alice felt that this could not be denied, so she tried another question. "What sort of people live about here?"

"In *that* direction," the Cat said, waving its right paw round, "lives a Hatter: and in *that* direction," waving the other paw, "lives a March Hare. Visit either you like: they're both mad[3]."

"But I don't want to go among mad people," Alice remarked.

"Oh, you can't help that," said the Cat: "we're all mad here. I'm mad. You're mad."

"How do you know I'm mad?" said Alice.

"You must be," said the Cat, "or you wouldn't have come here."

Alice didn't think that proved it at all; however, she went on: "And how do you know that you're mad?"

---

1. **to depend on** (ou **upon**) : 1. (ici) *dépendre de.* 2. *compter sur, se fier à.*

2. **to care** : 1. (ici) *se soucier* ; *s'intéresser* ; **not to care,** *se soucier peu, se moquer de* ; **I couldn't care less,** *je me fiche pas mal.* 2. *aimer,* **would you care for a cup of coffee?** *Voulez-vous un café ?*

« Allons, jusqu'ici ça lui plaît », pensa Alice, et elle poursuivit : « Voudriez-vous m'indiquer, s'il vous plaît, quel chemin je devrais prendre à partir d'ici ? »

« Ça dépend beaucoup de l'endroit où vous voulez aller », dit le Chat.

« Je ne me soucie guère où ... », fit Alice.

« Alors, peu importe quel chemin vous prendrez », dit le chat.

« ...pourvu que j'arrive *quelque part* », ajouta Alice en guise d'explication.

« Oh, vous pouvez en être sûre, si seulement vous marchez assez longtemps », dit le Chat.

Alice sentit qu'on ne pouvait dire le contraire, aussi essaya-t-elle une autre question. « Quelle sorte de gens vivent dans ces parages ? »

« Dans *cette* direction-*là* », indiqua le Chat d'un mouvement circulaire de sa patte, « vit un Chapelier, et dans *cette* direction-là », fit-il de l'autre, « demeure un Lièvre de Mars. Allez voir celui que vous voulez : ils sont fous tous les deux.

« Mais je ne veux pas aller chez les fous », fit observer Alice.

« Oh ! vous n'y pouvez rien », dit le Chat : « nous sommes tous fous ici. Je suis fou, vous êtes folle. »

« Comment savez-vous que je suis folle ? » fit Alice.

« Vous devez l'être », dit le Chat, « sinon, vous ne seriez pas venue ici. »

Alice ne considéra pas que cela prouvait quoi que ce soit ; cependant elle poursuivit : « Et comment savez-vous que vous êtes fou ? »

---

3. **they're both mad** : renvoie aux deux expressions **to be as mad as a hatter** (m. à m. *être aussi fou qu'un chapelier = travailler du chapeau)* et **to be as mad as a March hare** (m. à m. *être aussi fou qu'un lièvre de Mars*). On a donné, comme possibles origines de ces expressions, pour la première, un empoisonnement par le mercure utilisé dans le traitement du feutre des chapeaux, pour la seconde, l'agitation de l'animal en période de rut (mars).

"To begin with," said the Cat, "a dog's not mad. You grant[1] that?"

"I suppose so," said Alice.

"Well, then," the Cat went on, "you see a dog growls when it's angry, and wags its tail when it's pleased. Now *I* growl when I'm pleased, and wag my tail when I'm angry. Therefore I'm mad[2]."

"I call it purring, not growling," said Alice.

"Call it what you like," said the Cat. "Do you play croquet with the Queen to-day?"

"I should like it very much," said Alice, "but I haven't been invited yet."

"You'll see me there," said the Cat, and vanished.

Alice was not much surprised at this, she was getting so well used to queer things happening. While she was looking at the place where it had been, it suddenly appeared again.

"By-the-bye[3], what became of the baby?" said the Cat. "I'd nearly forgotten to ask."

"It turned into a pig," Alice answered very quietly, just as if the Cat had come back in a natural way.

"I thought it would," said the Cat, and vanished again.

Alice waited a little, half expecting to see it again, but it did not appear, and after a minute or two she walked on in the direction in which the March Hare was said to live.

---

1. **to grant** : 1. (ici) *admettre, accorder*, **to take for granted**, *considérer comme certain*. 2. *accorder, octroyer, allouer* ; **grant**, *subvention, allocation* ; *concession*.

2. **therefore, I'm mad** : *par conséquent, je suis fou*. C'est la conclusion d'une des spécialités de L. Carroll, le syllogisme : raisonnement qui, en principe, comporte trois propositions,

« Pour commencer », dit le Chat, « un chien n'est pas fou. Vous l'admettez ? »

« Je le suppose », dit Alice.

« Eh bien, alors », poursuivit le Chat, « vous observez qu'un chien gronde quand il est en colère et remue la queue quand il est content. Or *moi* je gronde quand je suis content et je remue la queue quand je suis en colère. Par conséquent, je suis fou. »

« J'appelle ça ronronner, pas gronder », dit Alice.

« Appelez ça comme il vous plaira », dit le Chat. « Est-ce que vous jouez au croquet avec la Reine aujourd'hui ? »

« Ça me plairait beaucoup », dit Alice, « mais je n'ai pas encore été invitée. »

« Vous me verrez là-bas », fit le Chat, et il disparut.

Cela ne surprit pas trop Alice, car elle commençait à bien s'habituer à voir des choses bizarres se produire. Tandis qu'elle regardait l'endroit où se trouvait le chat, celui-ci réapparut soudain.

« A propos, qu'est devenu le bébé ? J'allais oublier de vous le demander. »

« Il s'est transformé en cochon », répondit Alice le plus tranquillement du monde, juste comme si la réapparition du Chat n'eût rien que de très naturel.

« C'est ce que je pensais », fit le Chat, et à nouveau il disparut.

Alice attendit un peu, espérant à moitié le revoir, mais il ne réapparut pas, et au bout d'une ou deux minutes elle prit la direction du lieu où le Lièvre de Mars était censé habiter.

---

dont la dernière (la conclusion, *je suis fou*) est déduite de la première (**a dog's not mad**) par le biais de la seconde (*le chien gronde quand il est en colère et remue la queue quand il est content. Or moi je gronde quand je suis content et je remue la queue quand je suis en colère*).

3. **by-the-bye** : *à propos, au fait.*

"I've seen hatters before," she said to herself; "the March Hare will be much the most interesting, and perhaps, as this is May, it wo'n't be raving mad[1]–at least not so mad as it was in March." As she said this, she looked up, and there was the Cat again, sitting on a branch of a tree.

"Did you say '*pig*', or '*fig*[2]'?", said the Cat.

"I said pig," replied Alice; "and I wish you wouldn't keep appearing and vanishing so suddenly: you make one quite giddy[3]."

"All right," said the Cat; and this time it vanished quite slowly, beginning with the end of the tail, and ending with the grin, which remained some time after the rest of it had gone.

"Well! I've often seen a cat without a grin," thought Alice; "but a grin without a cat! It's the most curious thing I ever saw in all my life!"

She had not gone much farther before she came in sight of the house of the March Hare: she thought it must be the right house, because the chimneys were shaped like ears and the roof was thatched[4] with fur. It was so large a house, that she did not like to go nearer till she had nibbled some more of the left-hand bit of mushroom, and raised herself to about two feet high: even then she walked up towards it rather timidly, saying to herself, "Suppose it should be raving mad after all! I almost wish I'd gone to see the Hatter instead!"

---

1. **to rave** : *délirer, divaguer* ; *s'emporter* (**at**, *contre*) ; *faire rage* (tempête) ; **to be raving mad,** *être fou à lier.*

2. **pig or fig** : m. à m. *cochon ou figue* ; en anglais double jeu, sur le son (**f** remplace **p**) et le sens ; **fig** signifie *figue* mais également *zut* ! **a fig for him!** *zut pour lui !* ou bien ce dont on se moque, **I don't care a fig,** *je m'en moque.*

3. **giddy** : 1. (ici) *pris de vertige* ; **to turn giddy,** *être pris de vertige.* 2. *étourdi, léger.*

4. **thatched** : m. à m. *couvert de chaume* ; **thatched roof,** *toit de chaume.*

« J'ai déjà vu des chapeliers », se dit-elle ; « le Lièvre de Mars sera bien plus intéressant, et comme nous sommes en mai, il ne sera peut-être pas complètement fou – du moins pas aussi fou qu'en mars. » Ce disant, elle leva les yeux, et voilà que, assis sur la branche d'un arbre, le Chat était réapparu.

« Avez-vous dit *cochon* ou *faucon* ? » fit le Chat.

« J'ai dit *cochon* », répliqua Alice ; « et je voudrais bien que vous cessiez d'apparaître et de disparaître si soudainement : vous donnez le vertige aux gens. »

« Très bien », fit le Chat ; et cette fois-ci il disparut lentement en commençant par le bout de la queue et en finissant par le sourire, qui demeura un moment après que le reste se fut effacé.

« Eh bien, j'ai souvent vu un chat sans sourire », pensa Alice ; « mais un sourire sans chat ! C'est la chose la plus étange que j'aie jamais vue dans toute ma vie. »

Elle n'était pas allée beaucoup plus loin lorsqu'elle arriva en vue de la maison du Lièvre de Mars : elle pensa que c'était bien la sienne, parce que les cheminées avaient la forme d'oreilles et le toit était recouvert de fourrure. C'était une si grande maison qu'elle ne voulut pas s'en approcher avant d'avoir grignoté un petit plus du morceau qu'elle tenait à la main gauche et d'avoir atteint à peu près soixante centimètres : même alors, elle s'en approcha plutôt timidement, en se disant : « Et s'il était fou à lier, après tout ! Je regrette presque de n'être pas allée plutôt voir le Chapelier. »

« J'ai déjà vu des chapelles, se dit [illegible] le [illegible] de [illegible] sera bien plus [illegible] et comme nous sommes [illegible] ne sera [illegible] pas complètement [illegible] du moins pas aussi [illegible]. Cependant, elle leva les yeux et [illegible] la [illegible] d'un [illegible] caractéristique.

« [illegible] »

« J'ai [illegible] Dans [illegible] que [illegible] et de [illegible] gens. »

« Très [illegible] l'intérieur [illegible] ment au [illegible] que la [illegible] en [illegible] humeur.

« [illegible] plus [illegible] toute sa vie. »

Elle n'était [illegible] plus lasse lorsqu'elle arriva en vue [illegible] elle [illegible] perçu que [illegible] dans la [illegible] parce que [illegible] de [illegible] d'avoir [illegible] Calypso. »

CHAPITRE VII

A MAD TEA-PARTY *

UN THÉ DE FOUS

*Cf. p. 62, 1.

There was a table set out[1] under a tree in front of the house, and the March Hare and the Hatter were having tea at it: a Dormouse[2] was sitting between them, fast asleep, and the other two were using it as a cushion, resting[3] their elbows on it, and talking over its head. "Very uncomfortable for the Dormouse," thought Alice; "only, as it's asleep, I suppose it doesn't mind."

The table was a large one, but the three were all crowded together at one corner of it. "No room[4]! No room!" they cried out when they saw Alice coming. "There's *plenty* of room !" said Alice indignantly, and she sat down in a large arm-chair at one end of the table.

"Have some wine," the March Hare said in an encouraging tone.

Alice looked all round the table, but there was nothing on it but[5] tea. "I don't see any wine," she remarked.

"There isn't any," said the March Hare.

"Then it wasn't very civil[6] of you to offer it," said Alice angrily.

"It wasn't very civil of you to sit down without being invited," said the March Hare.

"I didn't know it was *your* table," said Alice; "it's laid for a great many more than three."

"Your hair wants[7] cutting," said the Hatter[8]. He had been looking at Alice for some time with great curiosity, and this was his first speech.

---

1. **to set out** : 1. (ici) *disposer, exposer, présenter* ; *indiquer.* 2. **partir,** *se mettre en route pour.* 3. *chercher à, se proposer de.*
2. **Dormouse** (pl. **dormice**) : *loir* (formé à partir du français *dormir* + **mouse**) animal à vie nocturne, proche de l'écureuil.
3. **to rest** : 1. (ici) *(se) poser, (s')appuyer.* 2. *(se) reposer, prendre du repos.* 3. *rester, demeurer.*
4. **room** : 1. (ici) *place* ; **to make room,** *faire de la place.* 2. *pièce* ;

Une table se trouvait disposée sous un arbre, devant la maison, le Lièvre de Mars et le Chapelier y prenaient le thé ; entre eux était assis un Loir, profondément endormi, que les deux autres, les coudes posés sur corps, utilisaient comme coussin, discutant par-dessus sa tête. « Très peu confortable pour le Loir », songea Alice ; « mais comme il est endormi, j'imagine que ça lui est égal. »

La table était grande, mais tous trois étaient tassés les uns contre les autres à l'un de ses angles. « Pas de place ! Pas de place ! » s'écrièrent-ils en voyant Alice arriver. « Il y a *beaucoup* de place ! » fit Alice avec indignation, et elle s'installa dans un vaste fauteuil à un bout de la table.

« Prenez du vin ! » fit le Lièvre de Mars d'un ton aimable.

Alice parcourut la table du regard, mais il n'y avait dessus rien d'autre que du thé. « Je ne vois pas de vin », observa-t-elle.

« Il n'y en a pas », dit le Lièvre de Mars.

« Alors, ce n'était pas très poli de votre part de m'en offrir », dit Alice avec colère.

« Ce n'était pas très poli de votre part de vous asseoir sans être invitée », répliqua le Lièvre de Mars.

« Je ne savais pas que c'était *votre* table », dit Alice ; « elle est mise pour bien plus que trois personnes. »

« Vos cheveux ont besoin d'être coupés », dit le Chapelier. Cela faisait un moment qu'il regardait Alice avec une vive curiosité, et c'étaient ses premières paroles.

---

salle ; *chambre.*

5. **but** : rappel : *si ce n'est, sauf, excepté.*

6. **civil** : 1. (ici) *poli.* 2. *civil* ; **civil service,** *fonction publique.*

7. **to want** : 1. (ici) *avoir besoin* (+ verbe en **-ing**), *réclamer.* 2. *vouloir* ; *désirer.* 3. *demander.*

8. **The hatter** : le portrait du Chapelier (pp. 149, 157) fut réalisé par le dessinateur Tenniel sur une suggestion de Carroll, en s'inspirant d'un marchand de meubles d'Oxford, surnommé le “Mad Hatter”, portant haut-de-forme et inventeur d'un « lit-réveil » qui jetait, à l'heure dite, le dormeur hors de son lit…

"You should learn not to make personal remarks," Alice said with some severity: "It's very rude[1]."

The Hatter opened his eyes very wide on hearing this; but all he *said* was "Why is a raven like a writing-desk[2]?"

"Come, we shall have some fun[3] now!" thought Alice. "I'm glad they've begun asking riddles[4]. –I believe I can guess that," she added aloud.

"Do you mean that you think you can find out[5] the answer to it?" said the March Hare.

"Exactly so," said Alice.

"Then you should say what you mean," the March Hare went on.

"I do," Alice hastily replied; "at least –at least I mean what I say –that's the same thing, you know."

"Not the same thing a bit!" said the Hatter. "Why, you might just as well say that 'I see what I eat' is the same thing as 'I eat what I see!'

"You might just as well say," added the March Hare, "that 'I like what I get' is the same thing as 'I get what I like!"

"You might just as well say," added the Dormouse, which seemed to be talking in its sleep, "that 'I breathe when I sleep' is the same thing as 'I sleep when I breathe!'"

---

1. **rude** : 1. (ici) *mal élevé, impoli* ; *grossier* ; *indécent* ; **rude word,** *gros mot.* 2. *brusque, violent, rude.*

2. **writing-desk** : *bureau* ; la devinette ne comporte pas de réponse mais L. Carroll, dans la préface d'une réédition (1896), proposa une solution : **"because it can produce a few notes, though they are very flat ; and it is never put whith the wrong end in front."** Sans être totalement convaincante, cette réponse comporte de nouveaux jeux de mots (**notes,** *annotations écrites* et

« Vous devriez apprendre à ne pas faire de remarques personnelles », dit Alice avec sévérité : « c'est très mal élevé. »

En entendant cela, le Chapelier ouvrit grands les yeux, mais tout ce qu'il *répliqua* fut : « Pourquoi un corbeau ressemble-t-il à un bureau ? »

« Bon, maintenant on va s'amuser ! » pensa Alice. « Je suis contente qu'ils aient commencé à poser des devinettes. Je crois que je peux trouver celle-là », ajouta-t-elle tout haut.

« Vous voulez dire que vous pensez pouvoir trouver la réponse ? » dit le Lièvre de Mars.

« Tout à fait », répondit Alice.

« Alors, vous devriez dire ce que vous entendez par là », poursuivit le Lièvre de Mars.

« C'est ce que je fais », répliqua très vite Alice ; « du moins ... du moins, je veux dire ce que je dis – c'est la même chose, vous savez. »

« Pas du tout la même chose ! » dit le Chapelier. « Vous pourriez aussi bien dire que "je vois ce que je mange" est la même chose que "Je mange ce que je vois". »

« Vous pourriez aussi bien dire », ajouta le Lièvre de Mars, que "j'aime ce que je reçois" est la même chose que "je reçois ce que j'aime". »

« Vous pourriez aussi bien dire », ajouta le Loir qui paraissait parler en dormant, "que je respire quand je dors" est la même chose que "je dors quand je respire." »

---

notes de musique ; **flat**, *plates*, mais aussi *monotones*, *fausses* et enfin *avec bémol*.

3. **fun** : 1. (ici) *amusement* ; **to have fun**, *s'amuser* ; **to make fun of**, *se moquer de*. 2. (adj.) *marrant* ; ❑ **fun-fair**, *fête foraine*.

4. **riddle** : *énigme*, *devinette* ; *mystère*. ▲ attention : **riddle**, *crible* ; **to riddle**, *cribler*.

5. **to find out** : 1. (ici) *découvrir*. 2. *démasquer*. 3. *se renseigner*.

"It *is* the same thing with you," said the Hatter, and here the conversation dropped[1], and the party sat silent for a minute, while Alice thought over all she could remember about ravens and writing-desks, which wasn't much.

The Hatter was the first to break the silence. "What day of the month is it," he said, turning to Alice: he had taken his watch out of his pocket, and was looking at it uneasily, shaking it every now and then, an holding it to his ear.

Alice considered a little, and then said "The fourth[2]."

"Two days wrong[3]!" sighed the Hatter. "I told you butter wouldn't suit the works[4]!" he added, looking angrily at the March Hare.

"It was the *best* butter," the March Hare meekly replied.

"Yes, but some crumbs must have got in as well," the Hatter grumbled: "you shouldn't have put it in with the bread-knife."

The March Hare took the watch and looked at it gloomily: then he dipped it into his cup of tea, and looked at it again: but he could think of nothing better to say than his first remark, "It was the *best* butter, you know."

Alice had been looking over his shoulder with some curiosity. "What a funny watch!" she remarked. "It tells the day of the month, and doesn't tell what o'clock it is!"

"Why should it ," muttered the Hatter. "Does *your* watch tell you what year it is?"

---

1. **to drop** : 1. (ici) *s'interrompre, en rester là.* 2. *laisser tomber* ; *déposer, débarquer.* 3. *laisser échapper.* 4. *écrire* ; **drop me a note,** *envoyez-moi un mot.* 5. *abandonner, renoncer.* 6. *tomber, retomber.*
2. **The fourth** : nous sommes en mai (cf. remarque d'Alice, ch. VII, pp. 146-147) et donc le 4, anniversaire d'Alice Liddell (née le 4 mai 1852).
3. **two days wrong** : *deux jours de retard* (cf. p. 112, 2.), selon une suggestion d'Alexander J. Taylor (*The White Knight,* 1952) ; la

« *C'est* bien la même chose pour vous », dit le Chapelier, et à ce moment la conversation prit fin, et le groupe resta silencieux pendant une minute, tandis qu'Alice passait en revue tout ce dont elle pouvait se souvenir concernant les corbeaux et les bureaux, ce qui faisait bien peu.

Le Chapelier fut le premier à rompre le silence.

« Quel jour du mois sommes-nous ? », dit-il, se tournant vers Alice : il avait tiré sa montre de sa poche et la regardait d'un air inquiet, la secouant de temps à autre, en la portant à son oreille.

Alice réfléchit un peu, puis répondit : « Le quatre ! »

« Deux jours de retard ! » soupira le Chapelier. « Je vous avais dit que le beurre ne convenait pas pour le mécanisme », ajouta-t-il, en regardant le Lièvre de Mars avec colère.

« C'était le *meilleur* beurre », répliqua le Lièvre de Mars humblement.

« Oui, mais des miettes ont dû tomber dedans en même temps », grommela le Chapelier : « Vous n'auriez pas dû le mettre avec le couteau à pain. »

Le Lièvre de Mars prit la montre et la regarda d'un air sombre puis il la trempa dans sa tasse de thé et la regarda à nouveau : mais il ne put rien trouver d'autre à dire que de répéter sa première remarque : « c'était du beurre de première qualité, vous savez ».

Alice, avec une certaine curiosité, avait regardé par-dessus son épaule. Elle remarqua : « Quelle drôle de montre ! Elle indique le jour du mois et non pas l'heure qu'il est ! »

« Pourquoi le dirait-elle ? marmonna le Chapelier. « Est-ce que votre montre *à vous* indique en quelle année nous sommes ? ».

---

montre du Lièvre de Mars fonctionne selon le calendrier lunaire, qui, le 4 mai 1862, montrait un écart de deux jours avec notre calendrier…

4. **works** : singulier de forme mais s'employant au singulier comme au pluriel ; 1. (ici) *mécanisme, mouvement d'un mécanisme.* 2. *usine, installation.*

"Of course not," Alice replied very readily: "but that's because it stays the same year for such a long time together."

"Which is just the case with *mine,*" said the Hater.

Alice felt dreadfully puzzled[1]. The Hatter's remark seemed to her to have no sort of meaning in it, and yet it was certainly English. "I don't quite understand you" she said, as politely as she could.

"The Dormouse is asleep again," said the Hatter, and he poured[2] a little hot tea upon its nose.

The Dormouse shook its head impatiently, and said, without opening its eyes, "Of course, of course; just what I was going to remark myself."

"Have you guessed the riddle yet ," the Hatter said, turning to Alice again.

"No, I give it up[3]," Alice replied. "What's the answer?"

"I haven't the slightest idea," said the Hatter.

"Nor I," said the March Hare.

Alice sighed wearily. "I think you might do something better with the time," she said, "than wasting it in asking riddles with no answers."

"If you knew Time as well as I do," said the Hatter, "you wouldn't talk about wasting *it*. It's *him*[4]."

"I don't know what you mean," said Alice.

"Of course you don't!" the Hatter said, tossing his head contemptuously. "I dare say you never even spoke to Time!"

---

1. **to puzzle** : 1. (ici) *rendre perplexe, embarrasser.* 2. **to puzzle over,** *essayer de résoudre.* 3. **to puzzle out,** *élucider, éclaircir, résoudre.*

2. **to pour** : 1. (ici) *verser, servir* (à boire) ; **to pour money,** *investir de l'argent.* 2. *couler à flots, se déverser* ; **it's pouring,** *il*

« Bien sûr que non », répliqua Alice avec empressement : « mais c'est parce qu'on reste sur la même année très longtemps. »

« C'est justement le cas avec la *mienne* », dit le Chapelier.

Alice se trouva terriblement embarrassée. La remarque du Chapelier lui parut n'avoir aucun sens, bien que certainement formulée en bon anglais. « Je ne vous comprends pas tout à fait », dit-elle aussi poliment que possible.

« Le Loir est à nouveau endormi », dit le Chapelier, et il lui versa un peu de thé chaud sur le museau.

Le Loir secoua la tête avec impatience et dit, sans ouvrir les yeux : « Bien sûr, bien sûr : c'est justement ce que j'allais remarquer moi-même. »

« Avez-vous déjà trouvé la réponse à la devinette ? » dit le Chapelier, en se tournant à nouveau vers Alice.

« Non, j'abandonne », répliqua Alice. « Quelle est la réponse ? »

« Je n'en ai pas la moindre idée », fit le Chapelier.

« Ni moi non plus », dit le Lièvre de Mars.

Alice soupira avec lassitude. « Je pense que vous pourriez faire mieux avec le temps », dit-elle, « que de gaspiller ça en posant des devinettes qui n'ont pas de réponses. »

« Si vous connaissiez le Temps aussi bien que moi », dit le Chapelier, « vous ne parleriez pas de gaspiller *ça*. Il s'agit de *lui*. »

« Je ne vois pas ce que vous voulez dire », dit Alice.

« Bien sûr que non ! » dit le Chapelier, hochant la tête avec mépris ! « J'ose dire que vous n'avez même jamais adressé la parole au Temps ! »

---

pleut à verse. 3. *affluer*.

3. **I give it up** : le complément bref, **it**, se place entre le verbe, **give** et sa postposition **up** ; **to give up**, 1. (ici) *donner sa langue au chat*, *abandonner*, *renoncer*. 2. *se consacrer* (**to**, *à*).

4. **it** et **him** : le *temps*, **time**, devenant un personnage, **Time**, avec majuscule, on passe du pronom neutre **it**, au pronom masculin **him**.

"Perhaps not," Alice cautiously replied: "but I know I have to beat[1] time when I learn music."

"Ah! that accounts[2] for it," said the Hatter. "He wo'n't stand[3] beating. Now, if you only kept on good terms with him, he'd do almost anything you liked with the clock. For instance, suppose it were nine o'clock in the morning, just time to begin lessons: you'd only have to whisper a hint[4] to Time, and round goes the clock[5] in a twinkling! Half-past one, time for dinner !"

("I only wish it was," the March Hare said to itself in a whisper).

"That would be grand, certainly," said Alice thoughtfully: "but then –I shouldn't be hungry for it, you know."

"Not at first, perhaps," said the Hatter: "but you could keep it to half-past one as long as you liked."

"Is that the way *you* manage?" Alice asked.

The Hatter shook his head mournfully. "Not I !" he replied. "We quarrelled last March –just before *he* went mad, you know–" (pointing with his teaspoon at the March Hare), "–it was at the great concert given by the Queen of Hearts, and I had to sing

"Twinkle, twinkle, little bat[6]*!*
How I wonder what you're at!

You know the song, perhaps?"

---

1. **to beat (beat, beaten)** : jeu de mots entre **to beat time,** *battre la mesure* et **beat,** *frapper, donner des coups.*

2. **to account** : 1. (ici) *expliquer, justifier.* 2. *représenter* (cf. p. 234, 5.)

3. **to stand** : 1. (ici) *supporter.* 2. *être debout.* 3. (fam.) *payer* (**a drink,** *à boire*).

4. **hint** : *indication, suggestion* ; *allusion, insinuation.*

5. **to go round the clock** : *faire le tour du cadran.*

6. Parodie d'un poème de Jane Taylor, bien connu à l'époque de Carroll : *Twinkle, twinkle, little star.*

« Peut-être que non », répliqua prudemment Alice ; « mais je sais que je dois battre les temps en mesure, quand j'étudie la musique. »

« Ah ! Voilà qui explique tout », dit le Chapelier. « Il ne supporte pas qu'on le batte. Maintenant, si seulement vous restez en bons termes avec lui, il fera presque tout ce que vous voulez avec cette pendule. Par exemple, supposez qu'il soit neuf heures du matin, juste le moment de commencer le travail de classe : vous n'avez qu'à souffler un mot au Temps, et, en un clin d'œil, l'aiguille fait le tour du cadran. Il est une heure et demie, l'heure du déjeuner ! »

(« Si seulement c'était vrai », murmura pour lui-même le Lièvre de Mars.)

« Ça serait certainement épatant », dit Alice, pensive ; « mais alors… vous savez, je n'aurais pas faim. »

« Au début, peut-être pas », dit le Chapelier : « mais vous pourriez rester sur une heure et demie aussi longtemps que ça vous plairait. »

« Est-ce ainsi que *vous* vous y prenez ? »

Le Chapelier secoua la tête d'un air lugubre. « Pas moi ! » répliqua-t-il. « Nous nous sommes disputés en mars dernier, juste avant qu'*il* ne devienne fou, vous comprenez… (il pointa sa petite cuiller à thé vers le Lièvre)… c'était à l'occasion du grand concert donné par la Reine de Cœur, et je devais chanter

"Scintille, scintille, petite chauve-souris !"
Comme je me demande ce que tu peux bien faire !"

Vous connaissez la chanson, peut-être ? »

"I've heard something like it," said Alice.

"It goes on, you know," the Hatter continued, "in this way:

Up above the world you fly,

Like a tea-tray in the sky.
Twinkle, twinkle –"

Here the Dormouse shook itself, and began singing in its sleep "Twinkle, twinkle, twinkle, twinkle–" and went on so long that they had to pinch[1] it to make it stop.

Well, I'd hardly finished the first verse," said the Hatter, "when the Queen bawled out[2] 'He's murdering[3] the time! Off[4] with his head!'"

"How dreadfully savage!" exclaimed Alice.

"And ever since that," the Hatter went on in a mournful tone, "he wo'n't do a thing I ask! It's always six o'clock now."

A bright idea came into Alice's head. "Is that the reason so many tea-things are put out here?" she asked.

" Yes, that's it," said the Hatter with a sigh: "it's always tea-time, and we've no time to wash the things between whiles[5]."

"Then you keep moving round, I suppose?" said Alice.

"Exactly so," said the Hatter: "as the things get used up[6]."

"But what happens when you come to the beginning again?" Alice ventured to ask.

---

1. **to pinch** : 1. (ici) *pincer*. 2. *serrer*, *être étroit* (chaussure). 3. (fam.) *faucher*, *piquer*.
2. **to bowl out** : *hurler*, *brailler*, *beugler* ; *engueuler*.
3. **he's murdering the time** : double sens, *il massacre la mesure* et *il tue le temps*.
4. **off with his head** : *qu'on lui tranche la tête*, placé en tête de la phrase, la postposition **off** donne vivacité et force à l'expression. De

« J'ai entendu quelque chose dans ce genre », dit Alice.

« Elle continue, vous savez », poursuivit le Chapelier, « comme ceci :

« Bien au-dessus du monde vous volez,
Dans le ciel, comme un plateau à thé,
Scintille, scintille ... »

Sur ce, le Loir se secoua, et dans son sommeil se mit à chanter : « Scintille, scintille, scintille, scintille ... » et continua si longtemps qu'ils durent le pincer pour le faire s'arrêter.

« Eh bien, j'avais à peine fini le premier vœu », dit le Chapelier, « que la Reine se mit à hurler : “Il est en train de tuer le Temps ! Qu'on lui tranche la tête !” »

« Quelle affreuse sauvagerie ! » s'exclama Alice.

« Et depuis cela », poursuivit le Chapelier d'un ton lugubre, « il ne fera rien de ce que je lui demande ! Et maintenant, il est toujours six heures. »

Une idée lumineuse vint à l'esprit d'Alice. « Est-ce la raison pour laquelle il y a ici tant d'affaires à thé ? » demanda-t-elle.

« Oui, c'est cela », dit le Chapelier en soupirant : « c'est toujours l'heure du thé, et nous n'avons pas le temps de faire la vaisselle entretemps. »

« Alors vous ne cessez de faire le tour de la table, je suppose ? » dit Alice.

« Exactement », dit le Chapelier : « à mesure que les choses ont été utilisées. »

« Mais que se passe-t-il quand vous revenez au point de départ ? » se risqua à demander Alice.

---

même : **off you go!** *filez ! allez-vous en !* ❑ Par ailleurs, réplique célèbre et sanglante de Richard III, dans la pièce de Shakespeare du même nom, où il ordonne que l'on tranche la tête d'un de ses adversaires (acte III, 4.). Cf. p. 176, 1.

5. **between whiles** : m. à m. *entre les moments*, d'où *entretemps* ; **while** (n.) *temps, moment* ; **a short while,** *un instant* (cf. p. 99, 3).

6. **to use up** : *consommer, finir* ; **it's all used up,** *c'est épuisé.*

"Suppose we change the subject," the March Hare interrupted, yawning. "I'm getting tired of this. I vote the young lady tells us a story."

"I'm afraid I don't know one," said Alice, rather alarmed at the proposal.

"Then the Dormouse shall[1]!" they both cried. "Wake up, Dormouse!" And they pinched it on both sides at once.

The Dormouse slowly opened his eyes. "I wasn't asleep," it said in a hoarse, feeble voice: "I heard every word you fellows[2] were saying."

"Tell us a story!" said the March Hare.

"Yes, please do!" pleaded Alice.

"And be quick about it," added the Hatter, "or you'll be asleep again before it's done."

"Once upon a time there were three little[3] sisters," the Dormouse began in a great hurry; "and their names[4] were Elsie, Lacie, and Tillie; and they lived at the bottom of a well–"

"What did they live on[5]?" said Alice, who always took a great interest in questions of eating and drinking.

"They lived on treacle," said the Dormouse, after thinking a minute or two.

"They couldn't have done that, you know," Alice gently remarked; "they'd have been ill."

"So they were," said the Dormouse; "*very* ill."

---

1. **shall** : employé au lieu de **will**, **shall** est la forme utilisée pour les instructions, les commandements bibliques, pour indiquer une obligation (**thou shall not kill**, *tu ne tueras pas*).
2. **fellow** : 1. (ici) *camarade, ami.* 2. *individu, type.* 3. *membre* (association). 4. *chargé de cours* (université G. B.).
3. **little** : jeu de mots phonétique (déjà employé dans le prologue

« Si nous changions de sujet », interrompit le Lièvre de Mars en bâillant. « Je commence à me fatiguer de tout cela. Je vote pour que cette jeune personne nous raconte une histoire. »

« Je crains de ne pas en connaître », dit Alice, plutôt alarmée par cette proposition.

« Alors, ce sera le Loir ! » s'écrièrent-ils tous les deux. « Réveille-toi, Loir ! » Et ils le pincèrent des deux côtés à la fois.

Le Loir ouvrit lentement les yeux. « Je ne dormais pas », dit-il faiblement, d'une voix enrouée. « J'ai entendu tout ce que vous disiez, mes amis. »

« Raconte-nous une histoire ! » dit le Lièvre de Mars.

« Oui, s'il vous plaît, racontez ! » implora Alice.

« Et dépêche-toi », ajouta le Chapelier, « ou tu vas te rendormir avant d'avoir fini. »

« Il était une fois trois petites sœurs », commença le Loir à toute allure ; « et elles s'appelaient Elsie, Lacy et Tillie ; et elles habitaient au fond d'un puits ... »

« De quoi vivaient-elles ? » dit Alice, qui prenait toujours un vif intérêt aux questions sur le boire et le manger.

« Elles vivaient de mélasse », dit le Loir, après avoir réfléchi une ou deux minutes.

« Elles n'auraient pas pu faire ça, savez-vous », fit gentiment remarquer Alice. « Elles auraient été malades. »

« Et c'est ce qu'elles ont été », dit le Loir, « très malades. »

---

p.18) entre **Liddell** et **little**, dont les prononciations peuvent facilement se confondre.

4. Les **"Liddel/little sisters"** sont **Elsie**, pour **L.C.** (jeu phonétique avec la prononciation de **L** [èl] et **C** [si], initiales de **Lorina Charlotte**, **Lacie**, anagramme de **Alice**, et **Tillie**, diminutif de **Matilda**, surnom d'**Edith**.

5. **to live on** : 1. (ici) *se nourrir de*, *vivre de*. 2. *vivre aux dépens de*. 3. *rester*, *survivre* (souvenir).

Alice tried a little to fancy[1] to herself what such an extraordinary way of living would be like, but it puzzled her too much, so she went on: "But why did they live at the bottom of a well?"

"Take some more tea," the March Hare said to Alice, very earnestly.

"I've had nothing yet," Alice replied in an offended tone, "so I ca'n't take more."

"You mean you ca'n't take *less*," said the Hatter: "it's very easy to take *more* than nothing."

"Nobody asked *your* opinion," said Alice.

"Who's making personal remarks now?" the Hatter asked triumphantly.

Alice did not quite know what to say to this: so she helped[2] herself to some tea and bread-and-butter, and then turned to the Dormouse, and repeated her question. "Why did they live at the bottom of a well[3]?"

The Dormouse again took a minute or two to think about it, and then said, "It was a treacle-well."

There's no such thing!" Alice was beginning very angrily, but the Hatter and the March Hare went "Sh! sh!" and the Dormouse sulkily remarked, "if you ca'n't be civil, you'd better finish the story for yourself."

"No, please go on!" Alice said. "I wo'n't interrupt you again. I dare say there may be *one*."

"One, indeed!" said the Dormouse indignantly. However, he consented to go on.

---

1. **to fancy** : 1. (ici) *se figurer, s'imaginer* ; *croire, penser* ; **fancy that!** *voyez-vous cela !* 2. *avoir envie de, aimer*. 3. *se prendre pour*. 4. *avoir l'impression* (cf. pp. 37, 54).

2. **to help** : 1. (ici) *servir* ; **to help oneself,** *se servir*. 2. *aider, secourir, venir à l'aide*. 3. (avec **can/could**) **I can't help** (+ **-ing**),

Alice essaya un peu de s'imaginer ce que serait une aussi extraordinaire façon de vivre, mais cela la déconcertait trop, aussi poursuivit-elle : « Mais pourquoi habitent-elles au fond d'un puits ? »

« Reprenez du thé », dit très sérieusement le Lièvre de Mars à Alice.

« Je n'ai rien eu encore », répliqua Alice d'un ton offensé : «Je ne peux donc en prendre plus. »

« Vous voulez dire que vous ne pouvez en prendre *moins* », dit le Chapelier : « c'est très facile de prendre *plus* que *rien.* »

« Personne ne vous a demandé *votre* avis », dit Alice.

« Qui fait des remarques personnelles maintenant ? » demanda le Chapelier d'un ton triomphant.

Alice ne sut trop que répondre à cela : aussi, elle se servit du thé et du pain beurré, puis, se tournant vers le Loir, elle répéta sa question. « Pourquoi vivent-elles au fond d'un puits ? »

Le Loir s'accorda encore une minute ou deux de réflexion, puis il déclara : « C'était un puits de mélasse. »

« Ça n'existe pas ! » commença Alice très en colère, mais le Chapelier et le Lièvre de Mars firent : « Chut ! chut ! » et le Loir, maussade, remarqua : « Si vous n'êtes pas capable d'être polie, vous feriez mieux d'achever l'histoire pour vous-même. »

« Non, continuez, s'il vous plaît ! » fit Alice très humblement. « Je ne vous interromprai plus. Il est probable qu'il puisse en exister *un.* »

« Un , en effet ! » dit le Loir, indigné. Cependant, il consentit à poursuivre.

---

je ne peux m'empêcher de.

3. **well** : (n.) *puits* ; *source* ; *fontaine* ; *réservoir* ; **a treacle-well,** *un puits de mélasse* ; encore un jeu de mots : **treacle** est l'équivalent en anglais britannique de **molasses,** la *mélasse* (sirop brun et épais obtenu lors du raffinage du sucre) mais désigne également un composé médicinal, antidote contre le poison et les piqûres de serpent, et que l'on trouvait dans des sources nommées "**treacle well**" près d'Oxford, du temps de Carroll.

"And so these three little sisters –they were learning to draw[1], you know–"

"What did they draw?" said Alice, quite forgetting her promise.

"Treacle," said the Dormouse, without considering at all this time.

"I want a clean cup," interrupted the Hatter: "let's all move one place on[2]."

He moved on as he spoke, and the Dormouse followed him: the March Hare moved into the Dormouse's place, and Alice rather unwillingly took the place of the March Hare. The Hatter was the only one who got any advantage from the change; and Alice was a good deal worse off than before[3], as the March Hare had just upset[4] the milk-jug into his plate.

Alice did not wish to offend the Dormouse again, so she began very cautiously: "But I don't understand. Where did they draw the treacle from?"

"You can draw water out of a water-well," said the Hatter; "so I should think you could draw treacle out of a treacle-well – eh, stupid?"

"But they were in the well," Alice said to the Dormouse, not choosing to notice this last remark.

"Of course they were," said the Dormouse: "well[5] in."

This answer so confused poor Alice, that she let the Dormouse go on for some time without interrupting it.

---

1. **to draw** : jeu de mots sur deux sens de ce verbe, 1. *dessiner* ; *dépeindre* (ce qu'elles apprennent). 2. *extraire, puiser, tirer* (de la mélasse).

2. **to move on** : 1. (ici) *avancer* (≠ **to move back**). 2. *passer, s'écouler* (temps).

« Et donc ces trois petites sœurs, elles apprenaient à dessiner, voyez-vous... »

« Que dessinaient-elles ? » dit Alice, oubliant complètement sa promesse.

« De la mélasse », dit le Loir, cette fois sans du tout réfléchir.

« Je veux une tasse propre », interrompit le Chapelier. « Avançons tous d'une place. »

Il se déplaça, tout en parlant : Le Lièvre de Mars prit la place du Loir et Alice, plutôt contre son gré, pris celle du Lièvre. Le Chapelier fut le seul à tirer avantage du changement ; et Alice se trouva bien plus mal qu'auparavant, car le Lièvre de Mars venait de renverser le pot de lait dans son assiette.

Ne souhaitant pas offenser à nouveau le Loir, Alice commenca, très prudemment de dire : « Mais, je ne comprend pas. D'où tiraient-elles cette mélasse ? »

« On tire bien de l'eau d'un puits à eau », dit le Chapelier « je pense donc qu'on peut tirer de la mélasse d'un puits à mélasse... hein, bêtasse ? »

« Mais elles étaient *dans* le puits », dit Alice au Loir, choisissant de ne pas relever cette dernière remarque.

« Bien sûr qu'elles étaient dedans », fit le Loir : « bien dedans. »

Cette réponse troubla tellement la pauvre Alice, qu'elle laissa le Loir continuer sans l'interrompre pendant un moment.

---

3. **to be worse off than before** : *se retrouver plus mal en point* (dans une situation pire) *qu'avant.*

4. **to upset** : 1. (ici) *renverser, répandre.* 2. *bouleverser, déranger, contrarier, indisposer* ; *rendre malade.*

5. **in the well/well in** : *dans le puits / bien dedans* ; nouveau jeu de mots sur **well** (nom) *puits* et **well** (adv.) *bien.*

"They were learning to draw," the Dormouse went on, yawning and rubbing its eyes, for it was getting very sleepy; "and they drew all manner of things –everything that begins with an M –"

"Why with an M?" said Alice.

"Why not?" said the March Hare.

Alice was silent.

The Doormouse had closed its eyes by this time, and was going off into a doze; but, on being pinched by the Hatter, it woke up again with a little shriek, and went on: "– that begins with an M, such as mouse-traps[1], and the moon, and memory, and muchness[2] – you know you say things are 'much of a muchness' – did you ever see such a thing as a drawing of a muchness?"

"Really, now you ask me," said Alice, very much confused, "I don't think –"

"Then you shouldn't talk," said the Hatter.

This piece of rudeness was more than Alice could bear: she got up in great disgust, and walked off: the Dormouse fell asleep instantly, and neither of the others took the least notice of her going, though she looked back once or twice, half hoping that they would call after her: the last time she saw them, they were trying to put the Dormouse into the teapot.

"At any rate I'll never go *there* again!" said Alice as she picked her way[3] through the wood. "It's the stupidest tea-party I ever was at in all my life!"

---

1. **mouse-trap** : (litt.) *souricière.*

2. **muchness** : archaïsme familier signifiant *quantité, grandeur* et utilisé dans l'expression populaire que reprend L. Carroll, **much of a muchness**, équivalent de *bonnet blanc et blanc bonnet, du pareil au même, kif-kif.*

« Elles apprenaient à dessiner », poursuivit le Loir, en bâillant et en se frottant les yeux, car il commençait à avoir très sommeil ; « et elles dessinaient toutes sortes de choses… tout ce qui commence par un M. »

« Pourquoi par un M ? »

« Pourquoi pas ? » dit le Lièvre de Mars.

Alice resta coite. Pendant ce temps, le Loir avait fermé les yeux et allait partir pour un petit somme ; mais, pincé par le Chapelier, il se réveilla avec un petit cri, et poursuivit : «… qui commence par un M, comme machines-attrape souris, et morceau de lune, et mémoire, et du "même" – vous savez, on dit que les choses sont du "pareil au même" … Avez-vous jamais vu quelque chose représentant du "Même !" »

« Vraiment, maintenant que vous me posez la question », dit Alice tout à fait déconcertée, « je ne pense pas … »

« Dans ce cas, vous ne devriez pas parler », dit le Chapelier.

Cette marque d'impolitesse fut plus qu'Alice n'en pouvait supporter : elle se leva, tout à fait écœurée, et s'en alla ; le Loir s'endormit instantanément, et aucun des deux autres ne prêta la moindre attention à son départ, bien qu'elle se retournât une ou deux fois, espérant un peu qu'ils la rappelleraient : la dernière fois qu'elle les vit, ils essayaient de faire rentrer le Loir dans la théière.

« En tout cas, je ne reviendrais jamais *ici* ! » dit Alice, en se frayant avec précaution un chemin à travers le bois. « C'est le thé le plus idiot auquel j'aie jamais pris part de toute ma vie. »

3. **to pick one's way** : 1. (ici) *marcher avec précaution.* 2. *chercher où mettre les pieds.*

Just as she said this, she noticed that one of the trees had a door leading right into it. "That's very curious!" she thought. "But everything's curious to-day. I think I may as well go in at once." And in[1] she went.

Once more she found herself in the long hall, and close to the little glass table. "Now, I'll manage better this time," she said to herself, and began by taking the little golden key, and unlocking the door that led into the garden. Then she set to work nibbling at the mushroom (she had kept a piece of it in her pocket) till she was about a foot high: then she walked down the little passage: and *then* – she found herself at last in the beautiful garden, among the bright flower-beds and the cool fountains.

---

1. **in she went** : (rappel) la proposition placée en début de phrase donne en anglais plus d'intensité au message. Cf. p. 160, 4.

Alors qu'elle disait ces mots, elle remarqua que l'un des arbres avait une porte qui menait droit dedans. « C'est très curieux ! » pensa-t-elle. « Mais tout est curieux aujourd'hui. Autant y aller tout de suite. » Et elle entra dans l'arbre.

Une fois de plus elle se trouva dans la longue salle, et près de la petite table de verre. « Bon, cette fois-ci, je vais mieux m'en tirer », se dit-elle, et elle commença par prendre la petite clé d'or et par déverrouiller la porte qui menait au jardin. Puis elle entreprit de grignoter le champignon dont elle avait gardé un morceau dans la poche jusqu'à ce qu'elle eût atteint environ trente centimètres : puis elle descendit par le petit passage, et *alors*... elle se trouva enfin dans le magnifique jardin, au milieu de splendides parterres de fleurs et de fraîches fontaines.

Alors [illegible] dans [illegible], [illegible] [illegible] [illegible]
[illegible] [illegible] qu'[illegible] [illegible] [illegible] [illegible]
[illegible] [illegible] [illegible] [illegible] [illegible] qui
[illegible] [illegible] [illegible] [illegible] [illegible].

Un [illegible] [illegible] [illegible] la [illegible] salle, et près
de la petite table de [illegible] [illegible] celle-ci, [illegible]
[illegible] [illegible] [illegible] [illegible] [illegible] [illegible]
de [illegible] [illegible] [illegible] qui [illegible] [illegible]. Puis
[illegible] [illegible] [illegible] [illegible] [illegible] [illegible]
[illegible] [illegible] [illegible] ce qu'elle [illegible] [illegible]
[illegible] [illegible] [illegible] [illegible] [illegible]
et [illegible] [illegible] [illegible] [illegible] [illegible]
[illegible] [illegible] [illegible] [illegible] [illegible] [illegible]

CHAPTER VIII

The Queen's croquet-ground*

Le terrain de croquet de la Reine

* Jeu de société où, selon un parcours établi, on fait passer des boules de bois sous des arceaux à l'aide de maillets. L. Carroll avait lui-même mis au point une variation de ce jeu pour Alice Liddell et ses sœurs, intitulée Castle Croquet.

A large rose-tree stood near the entrance of the garden: the roses growing on it were white, but there were three gardeners at it, busily painting them red. Alice thought this a very curious thing, and she went nearer to watch them, and just as she came up to them she heard one of them say, "Look out[1] now, Five! Don't go splashing paint over me like that!"

"I couldn't help it," said Five, in a sulky tone. "Seven jogged my elbow."

On which Seven looked up and said, "That's right, Five! Always lay the blame on others!"

"*You'd* better not talk!" said Five. "I heard the Queen say only yesterday you deserved to be beheaded!"

"What for?" said the one who had spoken first.

"That's none of *your* business[2], Two!" said Seven.

"Yes, it *is* his business!" said Five. "And I'll tell him– it was for bringing the cook tulip-roots instead of onions."

Seven flung down his brush, and had just begun, "Well, of all the unjust things –" when his eye chanced[3] to fall upon Alice, as she stood watching them, and he checked himself suddenly: the others looked round also, and all of them bowed low.

"Would you tell me," said Alice, a little timidly, "why you are painting those roses?"

Five and Seven said nothing, but looked at Two.

---

1. **to look out** : 1. ici (fam.) *prendre garde, faire attention.* 2. **to look out for s.o.**, *guetter qn.* 3. *regarder en dehors, avoir vue sur.* ❑ **look-out**, *garde, guet, surveillance* ; **to be on the look-out**, *être sur le qui-vive, être à l'affût.*

2. **that's none of your business** : *cela ne te regarde pas, c'est pas ton affaire* ; jeu de mot sur **business**, qui veut dire aussi *affaire* au sens d'*activité.*

3. **to chance** : 1. (ici) *faire par hasard,* **upon s.o.**, *trouver qn.*

Un grand rosier se dressait près de l'entrée du jardin : ses roses étaient blanches, mais trois jardiniers s'affairaient auprès d'elles à les peindre en rouge. Alice pensa que c'était là une chose bien singulière ; elle s'approcha pour les observer, et, juste comme elle arrivait à leur hauteur, elle entendit l'un d'eux dire : « Fais donc attention, Cinq ! Ne m'éclabousse donc pas de peinture comme ça ! »

« Je n'y suis pour rien », dit Cinq d'un ton renfrogné. « Sept m'a poussé le coude. »

A ces mots, Sept leva les yeux et dit : « A la bonne heure, Cinq ! Il faut toujours faire retomber la faute sur les autres ! »

« *Tu ferais* mieux de te taire », dit Cinq. « Pas plus tard qu'hier, j'ai entendu la Reine dire que tu méritais qu'on te coupe la tête. »

« Pour quelle raison ? » dit celui qui avait parlé le premier.

« C'est pas *ton* affaire, Deux ! » dit Sept.

« Si, *c'est* son affaire ! » dit Cinq. « Et je vais le lui dire : c'était pour avoir apporté au cuisinier des bulbes de tulipes au lieu d'oignons. »

Sept jeta son pinceau à terre et il venait de commencer : « Eh bien, de toutes les injustices… » quand son regard tomba par hasard sur Alice, qui, debout près d'eux, les observait, et il se contint soudainement : les autres regardèrent aussi autour d'eux et tous trois s'inclinèrent très bas.

« Voudriez-vous me dire, s'il vous plaît », dit Alice un peu timidement, « pourquoi vous peignez ces roses ? »

Cinq et Sept ne dirent rien mais regardèrent Deux.

Two began in a low voice, "Why, the fact is, you see, Miss, this here ought to have been a *red* rose-tree[1], and we put a white one in by mistake; and if the Queen was to find it out, we should all have our heads cut off, you know. So you see, Miss, we're doing our best, afore[2] she comes, to–" At this moment, Five, who had been anxiously looking across the garden, called out, "The Queen! The Queen!" and the three gardeners instantly threw themselves flat upon their faces. There was a sound of many footsteps, and Alice looked round, eager to see the Queen.

First came ten soldiers carrying clubs[3]; these were all shaped like the three gardeners, oblong and flat, with their hands and feet at the corners: next the ten courtiers; these were ornamented all over with diamonds[4], and walked two and two, as the soldiers did. After these came the royal children; there were ten of them, and the little dears came jumping merrily along, hand in hand, in couples; they were all ornamented with hearts[5]. Next came the guests, mostly Kings and Queens, and among them Alice recognized the White Rabbit: it was talking in a hurried nervous manner, smiling at everything that was said, and went by without noticing her. Then followed the Knave[6] of Hearts, carrying the King's crown on a crimson velvet cushion; and, last of all this grand procession, came THE KING AND QUEEN OF HEARTS.

---

1. **a red rose-tree** : *un rosier rouge*. L. Carroll fait allusion ici à un épisode célèbre de l'histoire d'Angleterre, la rivalité sanglante pour posséder la Couronne, qui opposa, sous le nom de *Guerre des Deux Roses*, de 1455 à 1485, deux branches des Plantagenêts (qui donnèrent des rois d'Angleterre de 1154 à 1485) : la maison d'**York** (Edouard IV, Edouard V, Richard III) – avec dans ses armes, une *rose blanche* – et celle des **Lancaster** (Henry IV, Henry V, Henry VI) – avec dans les siennes une *rose rouge*. La Guerre des

Ce dernier commença à voix basse : « Ma foi, mademoiselle, le fait est que ce rosier-ci aurait dû être rouge et que nous en avons planté un blanc par erreur ; et si la Reine venait à découvrir cela, nous aurions tous la tête tranchée, vous savez. Aussi, voyez-vous, mademoiselle, nous faisons de notre mieux, avant qu'elle n'arrive, pour ... » Alors, Cinq, qui continuait à surveiller le jardin avec inquiétude, s'écria : « La Reine ! La Reine ! » et les trois jardiniers se jetèrent instantanément face contre terre. On entendit le piétinement de pas nombreux, et Alice regarda autour d'elle, impatiente de voir la Reine.

D'abord venaient dix soldats portant des masses d'armes ornées de trèfle : ils étaient tous conformés comme les trois jardiniers, oblongs et plats, avec les mains et les pieds aux angles ; ensuite les dix courtisans : ceux-ci étaient tout ornés de carreaux losangés sertis de diamants et ils marchaient comme les soldats, deux par deux. Après eux, venaient les enfants royaux : il y en avait dix et les chers petits avançaient en bondissant joyeusement la main dans la main, par deux : ils étaient tous parés de cœurs. Puis venaient les invités, pour la plupart des Rois et des Reines, et parmi eux Alice reconnut le Lapin Blanc : il parlait avec une précipitation nerveuse, souriant à tout ce qui se disait, et passa sans la remarquer. Le Valet de Cœur suivait, portant la couronne du Roi sur un coussin de velours cramoisi ; et, fermant cet impressionnant cortège, venaient LE ROI ET LA REINE DE CŒUR.

Deux-Roses se termina par la victoire d'Henry Tudor, dernier Lancaster, qui accéda à la couronne sous le nom d'Henry VII (et qui épousa Elisabeth d'York...).

2. **afore** : (dialectal et obsolète) ici = **before**, *avant*.

3. **club** : jeu de mots, **club** signifiant *trèfle* dans un jeu de cartes et *massue*, *masse d'armes* des soldats.

4. **diamonds** : double sens également, **diamond** signifiant *carreau* en forme de *losange* dans un jeu de cartes et *diamant*.

5. **hearts** : double sens toujours, **hearts**, *cœur* d'un jeu de cartes et *cœur* au sens propre et figuré.

6. **knave** : *valet* (cartes) et aussi *coquin*, *fourbe*.

Alice was rather doubtful whether she ought not to lie down on her face like the three gardeners, but she could not remember ever having heard of such a rule at processions[1]; "and besides, what would be the use of a procession," thought she, "if people had all to lie down on their faces, so that they couldn't see it?" So she stood where she was, and waited.

When the procession came opposite to Alice, they all stopped and looked at her, and the Queen said, severely, "Who is this?" She said it to the Knave of Hearts, who only bowed and smiled in reply.

"Idiot!" said the Queen, tossing her head impatiently; and, turning to Alice, she went on, "What's your name, child?"

"My name is Alice, so please your Majesty," said Alice very politely; but she added, to herself, "Why, they're only a pack of cards, after all. I needn't be afraid of them!"

"And who are *these* [2]?" said the Queen, pointing[3] to the three gardeners who were lying round the rose-tree; for, you see, as they were lying on their faces, and the pattern[4] on their backs was the same as the rest of the pack, she could not tell whether they were gardeners, or soldiers, or courtiers[5], or three of her own children.

"How should *I* know?" said Alice, surprised at her own courage. "It's no business of *mine*."

The Queen turned crimson with fury, and, after glaring at her for a moment like a wild beast, began screaming, "Off with her head! Off with–"

---

1. **procession** : (ici) *cortège, défilé* ; *procession.* ❑ Avant d'écrire *Alice*, L. Carroll avait créé et publié en 1860 un jeu de cartes, **Rules for Court Circular** (*Règles pour la chronique de la Cour.*)

2. **these** : il s'agit de la quatrième catégorie du jeu de cartes, les **spades**, *piques*, les *jardiniers* représentés sur l'image p. 173, avec

Alice, plutôt hésitante, se demandait si elle ne devait pas se prosterner comme les trois jardiniers, mais elle ne pouvait se rappeler avoir jamais entendu parler d'une telle règle au passage d'un cortège ; « et d'ailleurs, à quoi servirait un cortège », pensa-t-elle, « si les gens devaient tous se prosterner face contre terre, se mettant ainsi dans l'impossibilité de la voir ? » Elle resta donc où elle était et attendit.

Arrivé en face d'Alice, le cortège s'arrêta ; tous regardèrent Alice, et la Reine dit, d'un ton sévère, « Qui est-ce ? », s'adressant au Valet de Cœur, qui en guise de réponse ne fit que s'incliner en souriant.

« Imbécile ! » fit la Reine, secouant la tête avec impatience, et, se tournant vers Alice, elle poursuivit :« Comment t'appelles-tu, petite ? »

« Je m'appelle Alice, s'il plaît à Votre Majesté », dit Alice très poliment ; mais elle ajouta, pour elle-même : « Eh bien, après tout, ces gens ne sont qu'un jeu de cartes. Je n'ai pas à en avoir peur ! »

« Et qui sont *ceux-là* ? », fit la Reine, en désignant les trois jardiniers qui se trouvaient autour du rosier ; car, voyez-vous, comme ils étaient face contre terre, et que le motif sur leur dos était pareil à celui des autres cartes du jeu, elle ne pouvait distinguer s'il s'agissait de jardiniers, de soldats, de courtisans, ou bien de trois de ses propres enfants.

« Comment le saurais-*je* ? » dit Alice, surprise de son propre courage, « ce n'est pas *mon* affaire. »

La Reine devint cramoisie de fureur et, après l'avoir foudroyé d'un regard de bête féroce, elle se mit à hurler : « Qu'on lui coupe la tête ! Qu'on lui coup... ! »

---

un nouveau jeu de mots, **spade** signifiant également *bêche, pelle.*

3. **to point** : 1. (ici) *désigner, montrer du doigt.* 2. *faire ressortir qqch., dénoncer, faire pression* ; *indiquer.*

4. **pattern** : 1. (ici) *motif, dessin.* 2. *modèle, style* ;

5. **courtier** : *courtisan* ; ▲ *courtier,* **broker.**

"Nonsense!" said Alice, very loudly and decidedly, and the Queen was silent.

The king laid his hand upon her arm, and timidly said, "Consider, my dear: she is only a child!"

The Queen turned angrily away from him, and said to the Knave, "Turn them over[1]!"

The Knave did so, very carefully, with one foot.

"Get up!" said the Queen, in a shrill[2], loud voice, and the three gardeners instantly jumped up, and began bowing to the King, the Queen, the royal children, and everybody else.

"Leave off[3] that!" screamed the Queen. "You make me giddy." And then, turning to the rose-tree, she went on, "What *have* you been doing here?"

"May it please your Majesty," said Two, in a very humble tone, going down[4] on one knee as he spoke, "we were trying–"

"*I* see!" said the Queen, who had meanwhile been examining the roses. "Off with their heads!" and the procession moved on, three of the soldiers remaining behind to execute[5] the unfortunate gardeners, who ran to Alice for protection.

"You sha'n't be beheaded!" said Alice, and she put them into a large flower-pot that stood near. The three soldiers wandered about for a minute or two, looking for them, and then quietly marched off[6] after the others.

"Are their heads off?" shouted the Queen.

---

1. **to turn over** : 1. (ici) *retourner* (carte), *tourner* (page) ; (dans une lettre) **PTO** : **please turn over**, *T.S.V.P.* 2. *se retourner, faire un tonneau* ; ❑ **turnover**, *chiffre d'affaires, rotation, mouvement.*

2. **shrill** : *aigu, perçant* ; *strident* ; **to shrill**, *crier d'une voix perçante.*

« Absurde ! » dit Alice d'une voix forte et décidée, et la Reine se tut.

Le Roi posa la main sur son bras, et lui dit timidement : « Ma chère, prenez en considération que ce n'est qu'une enfant ! »

La Reine se détourna de lui avec colère et dit au Valet : « Retourne-les ! »

Ce que fit le Valet, très délicatement, avec son pied. « Debout ! » fit la Reine d'une voix forte et perçante et instantanément les trois jardiniers se redressèrent et se mirent à s'incliner devant le Roi, la Reine, les enfants royaux et toute l'assistance.

« Arrêtez-moi ça ! » glapit la Reine. « Vous me donnez le vertige. » Puis, se tournant vers le rosier, elle continua : « Qu'*étiez*-vous donc en train de faire ici ? »

«Si cela agrée à Votre Majesté », fit Deux, avec humilité, en s'agenouillant, « nous étions en train d'essayer... »

« *Je vois* », dit la Reine, qui, entre-temps, avait examiné les roses. « Qu'on leur coupe la tête ! » et le cortège se mit en route, trois des soldats restant derrière pour exécuter les malheureux jardiniers, qui coururent chercher protection auprès d'Alice.

« Vous ne serez pas décapités ! » dit Alice, et elle les plaça dans un grand pot de fleurs qui se trouvait dans les parages. Les trois soldats errèrent à leur recherche pendant une ou deux minutes, puis repartirent tranquillement rejoindre les autres.

« Leurs têtes sont-elles coupées ? » hurla la Reine.

---

3. **to leave off** : 1. (ici) *(s')arrêter, cesser, finir.* 2. *quitter, cesser de porter* (vêtement) ; *renoncer, abandonner.*

4. **to go down** : *descendre* ; ❑ **to go down on one's knees,** *se mettre à genoux* ; **to go down in an exam,** *échouer, être collé à un examen* ; ❑ **to go down well (drink)** *se laisser boire.*

5. **to execute** : 1. (ici) *exécuter* (mettre à mort). 2. *accomplir, exécuter* (travail) ; *jouer* (musique).

6. **to mach off** : *se mettre en marche* ; (fam.) *plier bagage.*

"Their heads are gone[1], if it please your Majesty!" the soldiers shouted in reply.

"That's right!" shouted the Queen. "Can you play croquet?"

The soldiers were silent, and looked at Alice, as the question was evidently meant[2] for her.

"Yes!" shouted Alice.

"Come on[3], then!" roared the Queen, and Alice joined the procession, wondering very much what would happen next.

"It's –it's a very fine day !" said a timid voice at her side. She was walking by the White Rabbit, who was peeping[4] anxiously into her face.

"Very," said Alice. "Where's the Duchess?"

"Hush! Hush[5]!" said the Rabbit in a low hurried tone. He looked anxiously over his shoulder as he spoke, and then raised himself upon tiptoe, put his mouth close to her ear, and whispered, "She's under sentence[6] of execution."

"What for?" said Alice.

"Did you say, 'What a pity!'?" the Rabbit asked.

"No, I didn't," said Alice: "I don't think it's at all a pity. I said, 'What for?"

"She boxed[7] the Queen's ears–" the Rabbit began. Alice gave a little scream of laughter. "Oh, hush!" the Rabbit whispered in a frightened tone. "The Queen will hear you! You see she came rather late, and the Queen said–"

---

1. **gone** : participe passé de **to go (went, gone)**, *aller*, signifiant ici aussi bien *parties* que *disparues*.
2. **to meant (meant, meant)** : 1. (ici) *destiner, adresser*. 2. *signifier, vouloir dire* ; **you don't mean it**, *vous ne parlez pas sérieusement*. 3. *avoir l'intention de, se proposer*.
3. **come on** : 1. (ici) *arrivez ! venez !* 2. *allons-y !* 3. *allons donc !*
4. **to peep** : cf. p.24, 2.

« Leurs têtes ne sont plus là, s'il plaît à Votre Majesté ! » s'écrièrent les soldats.

« Parfait ! » s'écria la Reine. « Savez-vous jouer au croquet ? »

Les soldats, silencieux, posèrent leur regard sur Alice, à qui manifestement la question s'adressait.

« Oui ! » cria Alice.

« Alors, venez ! » rugit la Reine, et Alice, se demandant bien ce qui allait ensuite se passer, se joignit au cortège.

« C'est... c'est une très belle journée ! » fit timidement une voix à ses côtés. Elle était en train de marcher aux côtés du Lapin Blanc, qui lui jetait un regard furtif et inquiet.

« Très belle », dit Alice. « Où est la Duchesse ? »

« Chut ! Chut ! » fit précipitamment le Lapin à voix basse, tout en regardant par-dessus son épaule avec inquiétude, puis il se dressa sur la pointe des pieds et, plaçant sa bouche près de l'oreille, il murmura : « Elle est condamnée à la peine capitale ! »

« Pour quelle raison ? » dit Alice.

« Vous avez dit, quel dommage ! » demanda le Lapin.

« Non », dit Alice. « Je ne pense pas du tout que ce soit dommage. J'ai dit, pour quelle raison ? »

« Elle a taloché les oreilles de la Reine », commença le Lapin. Alice eut un petit éclat de rire. « Oh, chut ! » souffla le Lapin sur un ton apeuré. « La Reine va vous entendre ! Vous comprenez, elle était arrivée un peu en retard, et la Reine dit... »

---

5. **hush** : (interjection) *chut ! silence !* ; **to hush**, 1. *taire, faire silence.* 2. *calmer, faire taire* ; *étouffer* (rire) ; **to hush up**, *étouffer* (scandale) ; ❑ **hush-hush** (fam.) *secret(e)* ; **hush-money**, *prix du silence, pot-de-vin.*

6. **sentence** : 1. (ici) *condamnation* ; *jugement* ; *sentence* ; *peine.* 2. (grammaire) *phrase.*

7. **to box s.o.'s ears** : *gifler, talocher, flanquer une taloche, une claque* (litt.), *un soufflet* ; ❑ **to box** : 1. *boxer* ; **boxing**, *boxe.* 2.*emboîter* ; (mise en page) *encadrer.* ❑ **box** : 1. *boîte, coffret.* 2. *loge* (théâtre).

"Get to your places!" shouted the Queen in a voice of thunder, and people began running about in all directions, tumbling up against each other; however, they got settled down in a minute or two, and the game began.

Alice thought she had never seen such a curious croquet-ground in her life; it was all ridges[1] and furrows[2]: the croquet balls were live[3] hedgehogs and the mallets live flamingoes, and the soldiers had to double themselves up[4] and stand on their hands and feet, to make the arches.

The chief difficulty Alice found at first was in managing her flamingo: she succeeded in getting its body tucked away[5], comfortably enough, under her arm with its legs hanging down, but generally, just as she had got its neck nicely straightened out, and was going to give the hedgehog a blow with its head, it *would* twist[6] itself round and look up in her face, with such a puzzled expression that she could not help bursting out laughing: and when she had got its head down, and was going to begin again, it was very provoking to find that the hedgehog had unrolled itself, and was in the act of crawling away[7]: besides all this, there was generally a ridge or a furrow in the way wherever she wanted to send the hedgehog to, and, as the doubled-up soldiers were always getting up and walking off to other parts of the ground, Alice soon came to the conclusion that it was a very difficult game indeed.

---

1. **ridge** : 1. (ici) *crête, croupe, bosse.* 2. *chaîne.*
2. **furrow** : 1. (ici) *sillon* ; *ride.* 2. *rainure.*
3. **live** : 1. (ici) *vivant.* 2. (électricité) *sous tension.* 3. (TV) *en direct.*
4. **to double up** : *se plier* (en deux) ; cf. p.138, 2.
5. **to tuck** : *mettre, replier, rentrer* ; **to tuck away**, *serrer, fourrer, coincer.*

« A vos places ! » tonna la Reine, et les gens se mirent à courir dans toutes les directions, tombant les uns sur les autres : cependant, en une ou deux minutes chacun fut à sa place, et la partie commença.

Alice pensa que, de sa vie, elle n'avait jamais vu un terrain de croquet si bizarre ; il était tout en creux et en bosses ; des hérissons et des flamants vivants servaient de boules et de maillets, et les soldats devaient se plier en deux en se tenant sur les mains et les pieds pour faire les arceaux.

La principale difficulté que rencontra Alice au départ fut le maniement de son flamant : elle réussit à en coincer assez bien le corps, les pattes pendantes sous son bras, mais, le plus souvent, au moment où ayant placé le cou de la bestiole bien droit elle s'apprêtait à taper sur le hérisson avec la tête, celle-ci, d'une torsion, se *retournait* vers elle, et la dévisageait d'un air si ahuri qu'elle ne pouvait s'empêcher d'éclater de rire ; et quand elle lui avait rabaissé la tête, et allait recommencer, c'était très contrariant de découvrir que le hérisson s'était déroulé, et s'apprêtait à prendre la fuite en trottinant ; et par-dessus le marché il y avait généralement une bosse ou un creux sur son trajet, partout où elle voulait envoyer le hérisson, et comme les soldats pliés en arceaux étaient tout le temps en train de se redresser et de se diriger vers d'autres parties du terrain, Alice en vint bientôt à la conclusion que c'était là un jeu bien difficile en vérité.

6. **to twist** : *(se) tordre* ; **to twist round** : *se retourner en se tordant.*
7. **to crawl away** : m. à m. *s'en aller en rampant.*

The players all played at once without waiting for turns, quarreling all the while, and fighting for the hedgehogs; and in a very short time the Queen was in a furious passion[1], and went stamping[2] about, and shouting, "Off with his head!" or "Off with her head!" about once in a minute.

Alice began to feel very uneasy: to be sure, she had not as yet had any dispute with the Queen, but she knew that it might happen any[3] minute, "and then," thought she, "what would become of me ? They're dreadfully[4] fond of beheading[5] people here: the great wonder[6] is, that there's anyone left alive!"

She was looking about for some way of escape[7], and wondering whether she could get away without being seen, when she noticed a curious appearance in the air: it puzzled her very much at first, but, after watching it a minute or two, she made it out to be a grin, and she said to herself, "It's the Cheshire-Cat: now I shall have somebody to talk to."

"How are you getting on?" said the Cat, as soon as there was mouth enough for it to speak with.

Alice waited till the eyes appeared, and then nodded. "It's no use speaking to it," she thought, "till its ears have come, or at least one of them." In another minute the whole head appeared, and then Alice put down her flamingo, and began an account of the game, feeling very glad she had someone to listen to her. The Cat seemed to think that there was enough of it now in sight, and no more of it appeared.

---

1. **passion** : 1. (ici) *colère, accès de colère, emportement* ; **fit of passion,** *accès de colère* ; **to be in a passion,** *être furieux, pris de colère.* 2. *passion,* **to have a passion for music,** *avoir la passion de la musique* ; *amour.*

2. **to stamp** : 1. (ici) *trépigner, taper du pied.* 2. *affranchir, apposer un tampon, timbrer.* 3. *frapper* (monnaie), *imprimer.*

3. **any** : (ici) dans une phrase affirmative, *n'importe quel* ; **at any**

Les joueurs jouaient tous en même temps, sans attendre leur tour, se querellant sans cesse en se disputant les hérissons ; et au bout de très peu de temps la Reine entra dans une furieuse colère, et se mit à trépigner en hurlant, environ chaque minute : « Qu'on le décapite ! » ou « Qu'on la décapite ! »

Alice commençait à se sentir très mal à l'aise : bien sûr elle ne s'était pas encore disputée avec la Reine mais elle savait que cela pouvait d'un instant à l'autre se produire, « et alors », pensa-t-elle, « que va-t-il advenir de moi ? Ils adorent couper la tête aux gens par ici : le grand miracle, c'est qu'il en reste encore qui soient vivants ! »

Elle cherchait du regard un moyen quelconque de s'échapper, en se demandant si elle pourrait s'en sortir sans être vue, lorsqu'elle remarqua dans les airs une curieuse apparition : celle-ci l'intrigua d'abord beaucoup, mais, après l'avoir examinée une ou deux minutes, elle discerna que c'était un sourire et elle se dit : « C'est le Chat du Cheshire : maintenant je vais avoir quelqu'un à qui parler. »

« Comment ça va ? » dit le Chat dès que sa bouche fut assez formée pour qu'il puisse parler avec.

Alice attendit que les yeux apparaissent, puis hocha la tête. « Inutile de lui parler », pensa-t-elle, « avant que ses oreilles ne soient apparues, ou du moins l'une des deux. »

Une minute après, la tête tout entière apparut, et Alice, posant alors son flamant à terre, entama un compte rendu de la partie, très heureuse d'avoir quelqu'un pour l'écouter. Le Chat sembla estimer que ce qu'on voyait de lui était suffisant, et rien d'autre n'apparut de sa personne.

---

hour, *à toute heure* ; **come at any time,** *venez à n'importe quelle heure* ; **any minute,** *d'une minute à l'autre.*

4. **dreadfully** : 1. (ici) fam. et intensif, *énormément, horriblement, infiniment, terriblement.* 2. *atrocement.*

5. **to behead** : *décapiter, couper la tête.*

6. **wonder** : 1. (ici) *miracle, merveille.* 2. *étonnement, surprise* ; **no wonder,** *rien d'étonnant.*

7. **way of escape** : *moyen de s'échapper, issue* ; *escape, évasion, fuite.*

"I don't think they play at all fairly[1]," Alice began, in rather a complaining tone, "and they all quarrel so dreadfully one ca'n't hear oneself speak – and they don't seem to have any rules in particular: at least, if there are, nobody attends to[2] them – and you've no idea how confusing it is all the things being alive: for instance, there's the arch I've got to go through next walking about at the other end of the ground – and I should have croqueted the Queen's hedgehog just now, only it ran away when it saw mine coming!"

"How do you like the Queen?" said the Cat in a low voice.

"Not at all," said Alice: "she's so extremely –" Just then she noticed that the Queen was close behind her, listening: so she went on "– likely to win, that it's hardly worth while[3] finishing the game."

The Queen smiled and passed on.

"Who *are* you talking to?" said the King, coming up to Alice, and looking at the Cat's head with great curiosity.

"It's a friend of mine – a Cheshire-Cat," said Alice: "allow me to introduce[4] it."

"I don't like the look of it at all," said the King: "however, it may kiss my hand, if it likes."

"I'd rather not," the Cat remarked.

"Don't be impertinent," said the King, "and don't look at me like that!" He got behind Alice as he spoke.

"A cat may look at a king[5]," said Alice. "I've read that in some book, but I don't remember where."

---

1. **fairly** : 1. (ici) *loyalement, honnêtement.* 2. *impartialement, équitablement.* 3. (fam.) *complètement.* 4. *moyennement.*
2. **to attend to** : 1. (ici) *tenir compte.* 2. cf. 74,1.

« Je ne pense pas qu'ils jouent vraiment franc jeu », commença Alice sur un ton plaintif, « et ils se disputent si affreusement qu'on ne s'entend pas parler, et on dirait qu'ils n'ont aucune règle particulière : du moins, s'il y en a, personne n'en tient compte – et vous n'avez pas idée à quel point on s'y perd quand toutes les choses sont vivantes ! Par exemple, l'arceau sous lequel je dois passer part se promener à l'autre bout du terrain et, à l'instant, j'aurais dû croquer le hérisson de la Reine, s'il ne s'était pas enfui en voyant arriver le mien ! »

« Comment trouves-tu la Reine ? » demanda le Chat à voix basse.

« Pas du tout à mon goût », dit Alice : « elle est si extrêmement… » Juste à ce moment, elle remarqua que la Reine était tout près derrière elle et l'écoutait : aussi poursuivit-elle : « … susceptible de gagner, que cela ne vaut presque pas la peine de terminer la partie. »

La Reine sourit et passa son chemin.

« A qui *êtes*-vous en train de parler ? » dit le Roi, en s'approchant d'Alice, et en regardant la tête du Chat avec une grande curiosité.

« C'est un de mes amis… un Chat du Cheshire », dit Alice : « permettez-moi de vous le présenter. »

« Je n'aime pas du tout son allure », dit le Roi : « néanmoins il peut me baiser la main, s'il le désire. »

« Je ne préférerais ne rien faire », observa le Chat.

« Ne soyez pas impertinent », dit le Roi, « et ne me dévisagez pas comme cela ! » Sur ces mots, il alla se placer derrière Alice.

« Un chat peut bien regarder un roi », dit Alice.

« J'ai lu ça quelque part dans un livre, mais je ne me rappelle pas où. »

---

3. **to be worth while** : *valoir la peine* (+ **-ing**) ; cf. p. 56, 3.

4. **to introduce** : 1. (ici) *présenter* (**to**, à). 2. *introduire, faire entrer* ; *faire adopter* (loi).

5. Proverbe ; m. à m. *un chat peut regarder un roi* (cf. “ *un chat peut regarder un évêque* ”).

"Well, it must be removed[1]," said the King very decidedly: and he called to the Queen, who was passing at the moment, "My dear! I wish you would have this cat removed!"

The Queen had only one way of settling[2] all difficulties, great or small. "Off with his head!" she said without even looking around.

"I'll fetch the executioner myself," said the King eagerly, and he hurried off[3].

Alice thought she might as well go back and see how the game was going on, as she heard the Queen's voice in the distance, screaming with passion. She had already heard her sentence three of the players to be executed for having missed their turns, and she did not like the look[4] of things at all, as the game was in such confusion that she never knew whether it was her turn or not. So she went off in search[5] of her hedgehog.

The hedgehog was engaged[6] in a fight with another hedgehog, which seemed to Alice an excellent opportunity for croqueting one of them with the other: the only difficulty was, that her flamingo was gone across the other side of the garden, where Alice could see it trying in a helpless sort of way to fly up into a tree.

By the time she had caught the flamingo and brought it back, the fight was over, and both the hedgehogs were out of sight: "but it doesn't matter much", thought Alice, "as all the arches are gone from this side of the ground."

---

1. **to remove** : 1. (ici) *enlever, faire disparaître, supprimer* aux deux sens du terme (c-à-d. *assassiner*). 2. *déplacer, déménager, transporter.*
2. **to settle** : 1. (ici) *résoudre, trancher, aplanir, arranger, conclure* ; *régler, solder.* 2. *fixer, déterminer.* 3. *(s') établir, (s')installer, caser* ; *se fixer.* 4. *s'apaiser, se calmer.*

« Eh bien, il faut le faire disparaître », dit le Roi d'un ton très décidé, et il appela la Reine qui passait à ce moment.

« Ma chère ! Je voudrais que vous fassiez disparaître ce Chat ! »

La Reine n'avait qu'une façon de trancher toutes les difficultés, grandes ou petites. « Qu'on lui coupe la tête ! » dit-elle sans même se retourner.

« Je vais chercher le bourreau moi-même », dit le Roi avec empressement, et il s'éloigna précipitamment.

Alice songea qu'elle pourrait aussi bien retourner voir comment le jeu se poursuivait, quand elle entendit au loin la voix de la Reine, hurlant de fureur. Elle l'avait entendue condamner à mort trois des joueurs pour avoir laissé passer leur tour, et elle n'aima pas la tournure que prenaient les choses, car la confusion dans la partie était telle qu'elle ne savait jamais si c'était son tour ou non. Elle partit donc à la recherche de son hérisson.

Ce dernier menait un combat contre un autre hérisson, ce qui parut à Alice une excellente occasion de croquer l'un des deux avec l'autre : la seule difficulté était que son flamant était parti de l'autre côté du jardin, où Alice pouvait le voir essayer désespérément de s'envoler dans un arbre.

Quand enfin elle eut attrapé et ramené le flamant, le combat avait pris fin et les deux hérissons n'étaient plus en vue : « mais ça n'a pas beaucoup d'importance », pensa Alice « puisque tous les arceaux ont disparu de ce côté-ci du terrain. »

---

3. **to hurry off** : *partir précipitamment* ; **to hurry**, *(se) hâter, (se) presser, presser le pas.*

4. **look** : 1. (ici) *aspect, apparence, tournure* ; **a look-alike**, *sosie.* 2. *regard, coup d'œil.*

5. **search** : 1. (ici) *rechercher, quête.* 2. *perquisition, fouille.*

6. **to be engaged** : 1. (ici) *être aux prises, être engagé* (dans un combat, une discussion. 2. *être fiancé(e)* ; ❑ **engaged** : *occupé* (place, téléphone).

So she tucked it away under her arm, that[1] it might not escape again, and went back to have a little more conversation with her friend.

When she got back to the Cheshire-Cat, she was surprised to find quite a large crowd collected[2] round it: there was a dispute[3] going on between the executioner, the King, and the Queen, who were all talking at once, while all the rest were quite silent, and looked very uncomfortable.

The moment Alice appeared, she was appealed[4] to by all three to settle the question, and they repeated their arguments to her, though, as they all spoke at once, she found it very hard to make out exactly what they said.

The executioner's argument was, that you couldn't cut off a head unless there was a body to cut it off from: that he had never had to do such a thing before, and he wasn't going to begin at *his* time of life[5].

The King's argument was that anything that had a head could be beheaded, and that you weren't to talk nonsense[6].

The Queen's argument was that, if something wasn't done about it in less than no time[7], she'd have everybody executed, all round. (It was this last remark that had made the whole party look so grave and anxious.)

Alice could think of nothing else to say but "It belongs to the Duchess: you'd better ask *her* about it."

---

1. **that = in order that, so that,** *de telle sorte que, pour que.*
2. **a large crowd collected** : m. à m. *une grande foule rassemblée* ; **to collect** : 1. (ici) *(s')assembler, (se) rassembler.* 2. *relever* (courrier). 3. *recueillir* ; *collectionner.* 4. **to collect oneself,** *se reprendre, reprendre son sang-froid.*
3. **dispuste** : 1. (ici) *altercation, conflit, querelle.* 2. *controverse, contestation* ; *litige* ; ▲ *dispute,* **quarrel.**

Aussi, serrant le flamant sous son bras, pour qu'il ne puisse à nouveau s'échapper, elle retourna bavarder un peu avec son ami.

Quand elle eut rejoint le Chat du Cheshire, elle fut surprise de trouver tout un attroupement autour de lui : un différend s'était élevé entre le bourreau, le Roi et la Reine, qui parlaient tous à la fois, tandis que le reste de la compagnie restait silencieux, l'air très mal à l'aise.

Dès qu'elle apparut, ils firent appel à Alice pour régler la question. Ils reprirent pour elle leurs arguments, mais, comme ils parlaient tous à la fois, elle trouva qu'il était en vérité bien difficile de comprendre ce qu'ils disaient.

L'argument du bourreau était qu'on ne pouvait trancher une tête s'il n'existait pas un corps dont on pût la séparer : qu'il n'avait jamais eu à exécuter rien de tel auparavant, et qu'il n'allait pas commencer, à l'âge qu'*il* avait atteint.

L'argument du Roi était que tout ce qui avait une tête pouvait être décapité, et qu'il fallait cesser de dire n'importe quoi !

L'argument de la Reine était que si l'on ne faisait rien à l'instant même, elle ferait exécuter tout le monde à l'entour. C'était cette dernière remarque qui avait rendu l'assemblée grave et angoissée.

Alice ne trouva rien d'autre à dire que : « Il appartient à la Duchesse : vous feriez mieux de *la* questionner à son sujet. »

---

4. **to appeal** : 1. (ici) *faire appel* (*à*, **to**). 2. *lancer un appel* (*au profit de*, **for**). 3. (jur.) *se pourvoir en appel.* 4. *attirer, plaire à, séduire.*

5. **at his time of life** : m. à m. *à sa période de vie.*

6. **to talk nonsense** : m. à m. *dire des bêtises, des absurdités.*

7. **in less than no time** : (littéral.) *en moins de deux, en un rien de temps.*

"She's in prison," the Queen said to the executioner: "fetch her here." And the executioner went off like an arrow.

The Cat's head began fading[1] away the moment he was gone, and, by the time he had come back with the Duchess, it had entirely disappeared: so the King and the executioner ran wildly[2] up and down, looking for it, while the rest of the party went back to the game.

---

1. **to fade** : 1. (ici) *s'effacer, disparaître, se perdre* ; *s'évanouir.* 2. *se faner, se flétrir* ; *passer, perdre son éclat* ; *s'éteindre* ; ❑ **fade in** (ciné.) *fondu.*

2. **wildly** : 1. (ici) *comme un (des) fou(s) ; frénétiquement, de façon extravagante.* 2. *violemment* ; *furieusement.* 3. *à l'état sauvage.*

« Elle est en prison », dit la Reine au bourreau : « allez la chercher et conduisez-la ici. » Et le bourreau partit comme une flèche.

Dès qu'il se fut éloigné, la tête du Chat commença à s'effacer et, lorsque le bourreau revint avec la Duchesse, la tête avait complètement disparu ; sur ce, le Roi et le bourreau se mirent à courir comme des fous dans tous les sens, tandis que le reste de l'assemblée s'en allait reprendre la partie.

CHAPTER IX

THE MOCK TURTLE'*S STORY

HISTOIRE DE LA TORTUE-FAÇON-TÊTE DE VEAU

* Cf. p. 207, 5.

"You ca'n't think[1] how glad I am to see you again, you dear old thing!" said the Duchess, as she tucked her arm affectionately into Alice's, and they walked off together.

Alice was very glad to find her in such a pleasant temper, and thought to herself that perhaps it was only the pepper that had made her so savage when they met in the kitchen.

"When *I'm*[2] a Duchess," she said to herself (not in a very hopeful tone, though), "I wo'n't have any pepper in my kitchen *at all*. Soup does very well without[3]–Maybe it's always pepper that makes people hot-tempered[4]," she went on, very much pleased at having found out a new kind of rule[5], "and vinegar that makes them sour[6] - and camomile[7] that makes them bitter[8] –and–and barley-sugar and such things that make children sweet-tempered. I only –wish people knew *that*: then they wouldn't be so stingy[9] about it, you know–"

She had quite forgotten the Duchess by this time, and was a little startled when she heard her voice close to her ear. "You're thinking about something, my dear, and that makes you forget to talk. I ca'n't tell you just now what the moral of that is, but I shall remember it in a bit."

"Perhaps it hasn't one," Alice ventured to remark.

"Tut, tut, child !" said the Duchess. "Everything's got a moral, if only you can find it." And she squeezed herself up closer to Alice's side as she spoke.

---

1. **to think (thought, thought)** : 1. (ici) *imaginer* ; *se rendre compte*. 2. *penser, réfléchir* (**about, of,** *à*). 3. *avoir l'idée de*. 4. *croire, trouver*.
2. **when I'm** : cf. p. 81,6.
3. **to do without** : 1. (ici) *se passer de*. 2. *se priver de*.
4. **hot-tempered** : *colérique, emporté, violent*. ❑ **hot**, *chaud* mais aussi *épicé, fort* (curry) ; *violent, passionné*.

« Chère vieille chose, vous ne pouvez imaginer comme je suis contente de vous revoir ! » dit la Duchesse en glissant affectueusement son bras sous celui d'Alice, et elles s'en allèrent ensemble.

Alice fut très contente de la trouver de si plaisante humeur et pensa que c'était peut-être uniquement le poivre qui l'avait rendue si colérique lors de leur rencontre dans la cuisine.

« Quand *moi* je serai Duchesse », se dit-elle (sans trop d'espoir dans le ton), « il n'y aura pas *du tout* de poivre dans ma cuisine. La soupe s'en passe très bien. Ce doit être toujours le poivre qui rend les gens si colériques », poursuivit-elle, très satisfaite d'avoir découvert un nouveau principe, « et le vinaigre qui les aigrit et la camomille qui les remplit d'amertume... et... et le sucre d'orge et autres bonnes choses qui rend les enfants si doux. Si seulement les gens savaient *cela* : ils n'en seraient alors pas si avares, vous savez... »

Elle avait, à ce moment, tout à fait oublié la Duchesse et fut quelque peu surprise quand elle entendit sa voix tout près de son oreille. « Vous êtes en train de penser à quelque chose, ma chère, et cela vous entraîne à oublier de parler. Je ne peux vous dire pour l'instant la morale de tout cela, mais cela me reviendra dans un moment. »

« Peut-être n'y en a-t-il pas », risqua Alice.

« Allons donc, petite ! » dit la Duchesse. « Toute chose a une morale, si seulement on est capable de la trouver. » Et, tout en parlant, elle se serra plus étroitement contre Alice.

---

5. **a new kind or rule** : toute sa vie Carroll inventa des jeux de toute sorte et pour chacun d'entre eux une règle (cf. pp. 174, 178))
6. **sour** : *acide*, *aigre*, *sûr* ; **to turn sour**, *tourner*.
7. **camomile** : plante odorante utilisée en infusion amère aux vertus digestives et calmantes.
8. **bitter** : 1. (ici) *amer(e)* ; *âpre*. 2. *glacial*, *cinglant* (vent), *rude* (hiver) ; *acharné* (ennemi).
9. **stingy** : *avare* ; *mesquin* ; *pingre* ; *regardant*.

Alice did not much like her keeping so close to her: first, because the Duchess was *very* ugly; and secondly, because she was exactly the right height to rest her chin on Alice's shoulder, and it was uncomfortably sharp chin. However, she did not like to be rude, so she bore[1] it as well as she could.

"The game going on rather better now," she said, by way of keeping up[2] the conversation a little.

"Tis so," said the Duchess: "and the moral of that is –'Oh, 'tis love, 'tis love, that makes the world go round[3]!'"

"Somebody said," Alice whispered, "that it's done by everybody minding their own business[4]!"

"Ah, well! It means much the same thing," said the Duchess, digging her sharp little chin into Alice's shoulder as she added, "and the moral of *that* is– 'Take care of the sense, and the sounds will take care of themselves[5].'"

"How fond she is of finding morals[6] in things!" Alice thought to herself.

"I dare say you're wondering why I don't put my arm round your waist," the Duchess said after a pause: "the reason is, that I'm doubtful about the temper of your flamingo. Shall I try the experiment?"

"He might bite," Alice cautiously replied, not feeling at all anxious to have the experiment tried.

---

1. **to bear (bore, borne)** : 1. (ici) *supporter, assumer* ; *endurer, souffrir.* 2. *porter* ; *appuyer.* 3. *donner naissance.* 4. *produire, rapporter.*
2. **to keep up** : 1. (ici) *maintenir, ne pas interrompre, soutenir.* 2. *se maintenir, ne pas se laisser abattre.*
3. Début d'une chanson populaire.
4. **to mind one's own business** : *se mêler de ses affaires, de ce qui vous regarde.*
5. Parodie d'un vieux proverbe anglais **"Take care of the pence,**

Alice n'était guère enchantée qu'elle se tienne si près d'elle : d'abord parce que la Duchesse était *particulièrement* laide et ensuite parce qu'elle avait exactement la hauteur qui convenait pour appuyer son menton sur l'épaule d'Alice, et c'était un menton désagréablement pointu. Cependant, ne voulant pas être impolie, elle le supportait du mieux qu'elle pouvait.

« La partie se déroule plutôt mieux, à présent », dit-elle afin de maintenir un peu la conversation.

« L'en est ainsi », dit la Duchesse : « et la morale de cela est... "Oh, c'est l'amour, c'est l'amour qui fait tourner le monde !" »

« Quelqu'un a dit », murmura Alice « qu'il tourne rond quand chacun se mêle de ses propres affaires. »

« Ah, bien ! Ça veut dire à peu près la même chose », dit la Duchesse, enfonçant son petit menton pointu dans l'épaule d'Alice, tout en ajoutant, « et la morale de *cela* est : "Prenez soin du sens et les soins prendront soin d'eux-mêmes." »

« Comme elle aime découvrir des morales dans les choses ! » songea Alice.

« Vous vous demandez sans doute pourquoi je ne pose pas mon bras autour de votre taille », dit, après une pause, la Duchesse, « la raison en est que j'ai des doutes au sujet de l'humeur de votre flamant. Vais-je tenter l'expérience ?

« Il pourrait pincer », dit Alice avec prudence, peu soucieuse de tenter l'expérience.

---

for the pounds will take care of themselves." (cf. p. 246, 1.)
6. **moral(s)** : *morale*, *moralité* ; **morals**, *mœurs* ; ▲ **morale**, *moral* (troupes).

"Very true," said the Duchess: "flamingoes and mustard both bite[1]. And the moral of that is –'Birds of a feather flock together[2].' "

"Only mustard isn't a bird," Alice remarked. "Right, as usual," said the Duchess: "what a clear way you have of putting things!"

"It's a mineral, I *think*," said Alice.

"Of course it is," said the Duchess, who seemed ready to agree to everything that Alice said; "there's a large mustard-mine near here. And the moral of that is –'The more there is of mine[3], the less there is of yours.' "

"Oh, I know!" exclaimed Alice, who had not attended to this last remark. "It's a vegetable. It doesn't look like one, but it is."

"I quite agree with you", said the Duchess; "and the moral of that is –'Be what you would seem to be' –or, if you'd like it put[4] more simply –'Never imagine yourself not to be otherwise than what it might appear to others that what you were or might have been was not otherwise than what you had been would have appeared to them to be otherwise.' "

"I think I should understand that better," Alice said very politely, "if I had it written down[5]: but I ca'n't quite follow it as you say it."

"That's nothing to what I could say if I chose," the Duchess replied, in a pleased tone.

"Pray don't trouble[6] yourself to say it any longer than that," said Alice.

---

1. **to bite (bit, bitten)** : jeu de mots sur les deux sens de **bite** ; 1. *mordre, pincer, piquer* (insecte) : 2. *piquer* (sauce, moutarde).
2. Equivalent du proberbe français « *qui se ressemble, s'assemble* ».
3. **mine** : jeu de mots phonétique, **mine**, *mine*, et le pronom

« Très juste », dit la Duchesse : « Les flamants et la moutarde piquent tous les deux. Et la morale de cela est : "Les oiseaux d'un même plumage volent de concert." »

« Seulement la moutarde n'est pas un oiseau », remarqua Alice.
« Exact, comme d'habitude », fit la Duchesse. « Quelle façon lumineuse vous avez d'exposer les choses ! »

« C'est un minéral, *je pense* », dit Alice.

« Bien sûr que c'en est un », fit la Duchesse, qui paraissait disposée à approuver tout ce que disait Alice : « il y a une grande mine de moutarde près d'ici. Et la morale de cela est : "Plus il y a de la mi(en)ne, moins il y a de la tienne." »

« Oh ! Je sais ! » s'exclama Alice, qui n'avait pas prêté attention à cette dernière remarque. « C'est un végétal. Ça n'en a pas l'air, mais c'en est un ! »

« Je suis tout à fait d'accord avec vous », dit la Duchesse, « et la morale de tout cela est : "Soyez ce que vous sembleriez être" ... ou, si vous aimeriez formuler ça plus simplement ... "Ne vous imaginez jamais ne pas être autrement que ce qu'il pourrait apparaître aux autres que ce que vous fûtes ou auriez pu être, ne serait pas autrement que ce que vous aviez été et leur serait apparu comme étant autrement." »

« Je pense que je comprendrais cela mieux », dit Alice très poliment, « si je l'avais noté : mais je crains d'être incapable de vous suivre quand vous parlez. »

« Cela n'est rien comparé à ce que je pourrais dire si je le voulais », répliqua la Duchesse d'un ton satisfait.

« Je vous en prie, ne vous mettez pas en peine d'en dire plus long que cela », dit Alice.

---

possessif **mine**, *le mien, la mienne, les miens, les miennes,* ont la même prononciation [maïne].

4. **to put** : (ici) *exposer, exprimer, formuler, présenter* et par ailleurs *poser, placer, mettre.*

5. **to write down** : *prendre par écrit, noter.*

6. **to trouble** : 1. (ici) *se déranger, se mettre en peine.* 2. *inquiéter, déranger.*

"Oh, don't talk about trouble!" said the Duchess. "I make you a present of everything I've said as yet."

"A cheap sort of present!" thought Alice. "I'm glad people don't give birthday-presents like that!" But she did not venture to say it out loud.

"Thinking again?" the Duchess asked, with another dig[1] of her sharp little chin.

"I've a right to think", said Alice sharply, for she was beginning to feel a little worried.

"Just about as much right", said the Duchess, "as pigs have to fly; and the m–"

But here, to Alice's great surprise, the Duchess's voice died away[2], even in the middle of her favourite word "moral" and the arm that was linked into hers began to tremble. Alice looked up, and there stood the Queen in front of them, with her arms folded[3], frowning[4] like a thunderstorm;

"A fine day, your Majesty!" the Duchess began in a low, weak voice.

"Now, I give your fair warning[5]," shouted the Queen, stamping on the ground as she spoke; "either you or your head must be off[6], and that in about half no time! Take your choice!"

The Duchess took her choice[7], and was gone in a moment.

"Let's go on with the game[8]," the Queen said to Alice; and Alice was too much frightened to say a word, but slowly followed her back to the croquet ground.

---

1. **dig** : 1. (ici) *coup.* 2. *coup de bêche.* 3. **digs,** *fouilles.*
2. **to die away** : 1. (ici) *s'éteindre.* 2. *s'apaiser, se calmer.*
3. **to fold** : 1. (ici) **folded arms,** *bras croisés.* 2. *plier* ; **to fold sth. in two,** *plier qqch. en deux.* 3. *envelopper, empaqueter.*

« Oh, ne parlez pas de peine ! » dit la Duchesse. « Je vous fais cadeau de tout ce que j'ai dit jusqu'à maintenant. »

« Un cadeau du genre bon marché », pensa Alice. « Je suis bien contente que les gens ne fassent pas de cadeau d'anniversaire comme ça. » Mais elle ne se risqua pas à dire cela à voix haute.

« On réfléchit encore ? » demanda la Duchesse avec un nouveau coup plongeant de son menton pointu.

« J'ai le droit de réfléchir », dit Alice sèchement, car elle commençait à se sentir un peu harcelée.

« A peu près autant le droit », dit la Duchesse, « que les cochons de voler ; et la m... »

Mais là, à la grande surprise d'Alice, la voix de la Duchesse s'éteignit, au beau milieu de son mot favori "morale" et le bras qui était accroché au sien commença à trembler. Alice leva les yeux, et là, en face d'elles, les bras croisés, le sourcil orageux, se tenait la Reine.

« Belle journée, Votre Majesté ! » commença la Duchesse d'une voix faible et basse.

« Maintenant, je vous préviens loyalement », hurla la Reine, en tapant du pied sur le sol, « c'est vous ou votre tête qui doit disparaître, et cela en un rien de temps ! Faites votre choix ! »

La Duchesse fit son choix et disparut dans l'instant.

« Continuons la partie », dit la Reine à Alice ; et celle-ci trop effrayée pour prononcer un mot, la suivit lentement jusqu'au terrain de croquet.

---

4. **to frown** : *froncer les sourcils, se renfrogner.*

5. **I give you a fair warning** : *je vous donne un avertissement loyal* ; **warning,** *avertissement, avis, signal* ; **to warn,** *avertir, prévenir, mettre en garde* ; *informer.*

6. **to be off** : *partir, s'en aller* ; **off with you!** *va-t-en ! file !* Cf. p. 160, 4.

7. **to take one's choice** : *faire son choix, choisir.*

8. **game** : 1. (ici) *partie, jeu.* 2. *plan, projet.* 3. *gibier* ; ❑ **to be game,** *avoir du cran.*

The other guests had taken advantage[1] of the Queen's absence, and were resting in the shade[2]: however, the moment they saw her, they hurried back to the game, the Queen merely remarking that a moment's delay[3] would cost them their lives.

All the time they were playing the Queen never left off quarreling with the other players, and shouting, "Off with his head!" or "Off with her head!" Those whom she sentenced were taken into custody[4] by the soldiers, who of course had to leave off being arches to do this, so that, by the end of half an hour or so, there were no arches left, and all the players, except the King, the Queen, and Alice, were in custody and under sentence of execution.

Then the Queen let off, quite out of breath, and said to Alice, "Have you seen the Mock Turtle[5] yet?"

"No," said Alice. "I don't even know what a Mock Turtle is."

"It's the thing Mock Turtle Soup is made from," said the Queen.

"I never saw one, or heard of one," said Alice.

"Come on, then," said the Queen, and he shall tell you his history."

As they walked off together, Alice heard the King say in a low voice, to the company, generally, "You are all pardoned." "Come, *that's* a good thing !" she said to herself, for she had felt quite unhappy at the number of executions the Queen had ordered.

---

1. **to take advantage** : *profiter, tirer avantage* ; *exploiter, abuser* (*de*, **of**).
2. **shade** : 1. (ici) *ombre*. 2. *nuance* (couleur, opinion) etc.
3. **delay** : *retard* ; **to delay**, *retarder, remettre*.
4. **custody** : 1. (ici) *détention, emprisonnement* ; **to take into**

Les autres invités avaient profité de l'absence de la Reine et se reposaient à l'ombre : cependant, dès qu'ils l'aperçurent, ils se dépêchèrent de retourner jouer, la Reine ayant simplement fait la remarque qu'un instant de retard leur coûterait la vie.

Aussi longtemps qu'ils jouèrent, la Reine ne cessa de se quereller avec les autres joueurs en hurlant « Qu'on le décapite ! » ou « Qu'on la décapite ! ». Ceux qu'elle avait condamnés étaient mis en état d'arrestation par les soldats, qui, bien sûr, devaient, pour ce faire, cesser d'être des arceaux, de telle sorte qu'au bout d'une demi-heure environ, il ne restait plus d'arceaux, et tous les joueurs, excepté le Roi, la Reine et Alice, étaient en détention et sous le coup d'une condamnation à la peine capitale.

Alors la Reine, complètement hors d'haleine, abandonna la partie et dit à Alice : « Avez-vous déjà vu la Tortue-Façon-Tête de Veau ? »

« Non », répondit Alice, « je ne sais même pas ce qu'est une Tortue-Façon-Tête de Veau. »

« C'est la chose avec laquelle on prépare la Soupe à la Tortue-Façon-Tête de Veau. »

« Je n'en ai jamais vu ni entendu parler », dit Alice.

« Alors, venez », dit la Reine, « et elle te racontera son histoire. »

Tandis qu'elles partaient ensemble, Alice entendit le Roi dire à voix basse à l'ensemble de la compagnie : « Vous êtes tous graciés. » « Alors, *ça*, c'est une bonne chose ! » se dit-elle, car elle avait été fort attristée par le nombre d'exécutions ordonnées par la Reine.

---

custody, *arrêter, mettre en état d'arrestation.*

5. **Mock Turtle** : m. à m. *tortue imitation* ou *simili-tortue* ; ❑ **mock** signifie 1. *imitation, simili* ; **the mock turtle soup** est *un consommé à la tête de veau*, qui remplace le véritable consommé de tortue verte. C'est ainsi que la créature **Mock Turtle** est représentée (p. 197 et 219) avec une carapace de tortue, une tête et des pattes de veau. 2. *simili, feint*, **a mock trial**, un simulacre de procès, **a mock exam**, *un examen blanc*. 3. **mock-heroic**, *burlesque.*

They very soon came upon a Gryphon[1], lying fast asleep in the sun. (If you don't know what a Gryphon is, look at the picture) "Up, lazy thing!" said the Queen, "and take this young lady to see the Mock Turtle, and to hear his history. I must go back, and see after some executions I have ordered," and she walked off, leaving Alice alone with the Gryphon. Alice did not quite like the look of the creature, but on the whole she thought it would be quite as safe to stay with it as to go after that savage Queen: so she waited.

The Gryphon sat up and rubbed its eyes: then it watched the Queen till she was out of sight then it chuckled. "What fun!" said the Gryphon, half to itself, half to Alice.

"What *is* the fun?" said Alice.

"Why, *she*," said the Gryphon. "It's all her fancy, that: they never executes nobody[2], you know. Come on!"

"Everybody says 'come on!' here," thought Alice, as she went slowly after it: "I never was so ordered about in all my life, never!"

They had not gone far before they saw the Mock Turtle in the distance, sitting sad and lonely on a little ledge[3] of rock, and, as they came nearer, Alice could hear him sighing as if his heart would break. She pitied him deeply. "What is his sorrow?" she asked the Gryphon, and the Gryphon answered, very nearly in the same words as before, "It's all his fancy, that: he hasn't got no sorrow, you know. Come on!"

---

1. **Gryphon** : créature animale de la mythologie antique et de la symbolique du Moyen Âge, comporte une tête et des ailes d'aigle et le bas d'un corps de lion. (Emblème de Trinity College à Oxford.)

2. Incorrections : le Griffon les accumulent ; ▲ **un s à execute** au pluriel ; deux négations, **never... nobody**, et plus bas **hasn't got no**.

3. **ledge** : *rebord, saillie, corniche* ; *banc de récifs.*

Bientôt, elles rencontrèrent un Griffon, allongé au soleil et profondément endormi. (Si vous ne savez pas à quoi ressemble un Griffon, jetez un coup d'œil à l'illustration.)

« Lève-toi, animal paresseux ! » dit la Reine, « et emmène cette jeune fille voir la Tortue-Façon-Tête deVeau, et écouter son histoire. Il faut que je rentre surveiller quelques exécutions que j'ai ordonnées », et elle s'éloigna, laissant Alice seule avec le Griffon. Alice n'aimait pas trop l'aspect de la créature, mais, tout compte fait, elle pensa qu'elle serait tout autant en sécurité en restant auprès de lui qu'en suivant cette Reine féroce.

Le Griffon se réveilla et se frotta les yeux : alors il suivit la Reine du regard jusqu'à ce qu'elle fût hors de vue, puis il émit un petit gloussement. « Quelle blague ! » fit le Griffon, moitié pour lui-même, moitié pour Alice.

« Qu'est-ce qui *est* une blague ? » dit Alice.

« Eh bien, *elle* », dit le Griffon. « Tout cela est dans son imagination : ils n'exécutent jamais personne, vous savez. Venez ! »

« Tout le monde dit "venez" par ici », pensa Alice tout en le suivant sans se presser : « Je n'ai jamais encore reçu autant d'ordres, de toute ma vie ! »

Ils n'étaient pas allés bien loin lorsqu'ils aperçurent au loin la Tortue-Façon-Tête de Veau, assise, triste et solitaire, sur la petite saillie d'un rocher, et alors qu'ils se rapprochaient Alice put l'entendre pousser des soupirs comme si son cœur allait se briser. Elle eut profondément pitié d'elle. « D'où vient son chagrin ? » demanda-t-elle au Griffon. Et celui-ci répondit, presque dans les mêmes termes qu'auparavant : « Tout est dans son imagination : elle n'a aucun chagrin, vous savez. Venez ! »

So they went up to the Mock Turtle, who looked at them with large eyes full of tears, but said nothing.

"This here[1] young lady," said the Gryphon, "she wants for to know your history, she do[2]."

"I'll tell it her," said the Mock Turtle in a deep, hollow tone. "Sit down, both of you, and don't speak a word till I've finished."

So they sat down, and nobody spoke for some minutes. Alice thought to herself, "I don't see how he can *ever* finish, if he doesn't begin." But she waited patiently.

"Once", said the Mock Turtle at last, with a deep sigh, "I was a real Turtle."

These words were followed by a very long silence, broken only by an occasional exclamation of "Hjckrrh!" from the Gryphon, and the constant heavy sobbing of the Mock Turtle. Alice was very nearly getting up and saying, "Thank you, Sir, for your interesting story," but she could not help thinking there *must* be more to come, so she sat still and said nothing.

"When we were little", the Mock Turtle went on at last, more calmly, though still sobbing a little now and then, "we went to school in the sea. The master was an old Turtle –we used to call him Tortoise[3]–"

"Why did you call him Tortoise, if he wasn't one?" Alice asked.

"We called him Tortoise because he taught us[4]," said the Mock Turtle angrily. "Really you are very dull[5]!"

---

1. **this here** : langue familière.
2. **for to know, she do** : langue incorrecte, au lieu de **to know**, **does.**
3. **Turtle/Tortoise** : **turtle**, *tortue de mer* ; **tortoise**, *tortue*

Ils rejoignirent donc la Tortue-Façon-Tête de Veau, qui les regarda avec de grands yeux pleins de larmes, mais sans dire un mot.

« La jeune dame qu'est là », dit le Griffon, « elle veut connaître votre histoire, c'est sûr. »

« Je vais la lui raconter » dit la Tortue-Façon-Tête de Veau d'une voix profonde et caverneuse. « Asseyez-vous, tous les deux, et ne dites pas un mot avant que je n'aie fini. »

Sur ce, ils s'assirent et personne n'ouvrit la bouche pendant quelques minutes. Alice se dit : « Je ne vois pas comment elle pourra *jamais* finir si elle ne commence pas. » Mais elle attendit patiemment.

« Autrefois », dit enfin la Tortue-Façon-Tête de Veau avec un profond soupir, « j'étais une vraie Tortue. »

Ces mots furent suivis d'un très long silence, interrompu seulement de temps à autre par un «Hjckrrh ! » poussé par le Griffon en guise d'exclamation, et par les lourds et continuels sanglots de la Tortue-Façon-Tête de Veau. Alice était tout près de se lever et de dire : « Merci, madame, pour cette intéressante histoire », mais elle ne pouvait s'empêcher de penser que quelque chose *devait* venir, aussi resta-t-elle assise immobile et sans dire un mot.

« Quand nous étions petits », poursuivit enfin la Tortue-Façon-Tête de Veau, plus calmement, bien que sanglotant un peu de temps à autre, « nous allions à l'école dans la mer. La maîtresse était une vieille tortue – nous l'appelions la Tortue-Potager. »

« Pourquoi l'appeliez-vous ainsi si elle n'en était pas une ? » demanda Alice.

« Nous l'appelions Tortue-Potager parce qu'elle nous faisait potasser », dit sur un ton fâché la Tortue-Façon-Tête de Veau. « Vous êtes vraiment bornée. »

---

ordinaire de jardin.

4. **Tortoise/taught us** (*nous a enseigné*) : jeu de mots basé sur une similitude phonétique entre les deux mots comportant chacun une voyelle longue, **tort** [to:t] et **taught** [to:t].

5. **dull** : 1. (ici) *borné, obtus*. 2. *ennuyeux, terne*.

"You ought to be ashamed of yourself for asking such a simple question," added the Gryphon; and then they both sat silent and looked at poor Alice, who felt ready to sink[1] into the earth. At last the Gryphon said to the Mock Turtle, "Drive on, old fellow! Don't be all day about it!" and he went on in these words:

"Yes, we went to school in the sea, though you mayn't believe it–"

"I never said I didn't! interrupted Alice.

"You did," said the Mock Turtle.

"Hold your tongue[2]!" added the Gryphon, before Alice could speak again. The Mock Turtle went on:

"We had the best of educations –in fact, we went to school every day–"

"*I've* been to a day-school[3], too," said Alice; "you needn't be so proud as all that."

"With extras[4]?" asked the Mock Turtle a little anxiously.

"Yes," said Alice, "we learned French and music."

"And washing ?" said the Mock Turtle.

"Certainly not!" said Alice indignantly.

"Ah! then yours wasn't a really good school," said the Mock Turtle in a tone of great relief. "Now, at *ours* they had, at the end of the bill[5], 'French, music, *and washing* –extra[6].' "

"You couldn't have wanted it much," said Alice; "living at the bottom of the sea."

---

1. **to sink (sank, sunk)** : 1. (ici) *s'enfoncer, pénétrer, descendre* (**into**, *dans, sous*). 2. *couler, aller au fond, sombrer*. 3. *baisser, diminuer.*

2. **to hold one's tongue** : *se taire, garder le silence* ; **he can't hold his tongue,** *il ne sait pas se taire.*

3. **day-school** : *externat* ; **day-pupil, day-student,** *externe* ; **day-boarder,** *demi-pensionnaire,* (jeu de mots sur **day** avec la

«Vous devriez avoir honte de poser une question aussi simple », ajouta le Griffon, après quoi ils restèrent assis, regardant en silence la pauvre Alice qui se sentait prête à rentrer sous terre. Finalement le Griffon dit à la Tortue-Façon-Tête de Veau : « Continuez, vieille branche ! Vous n'allez pas y passer la journée ! » et elle reprit en ces termes :

« Oui, nous allions à l'école dans la mer, même si vous pouvez ne pas le croire… »

« Je n'ai jamais rien dit de tel ! » interrompit Alice.

« Que si ! » fit la Tortue-Façon-Tête de Veau.

« Taisez-vous ! » ajouta le Griffon, avant qu'Alice puisse à nouveau placer un mot. La Tortue-Façon-Tête de Veau poursuivit : « Nous recevions la meilleure des éducations… en fait, nous allions à l'école tous les jours… »

« *J'ai été* aussi externe à l'école », dit Alice, « vous n'avez pas besoin d'être aussi fière que ça. »

« Avec des options en supplément ? » demanda laTortue-Façon-Tête de Veau, un peu inquiète.

« Oui », dit Alice, « nous apprenions le français et la musique. »

« Et le blanchissage ? » dit laTortue-Façon-Tête de Veau.

« Certainement pas ! » dit Alice, indignée.

« Ah ! Alors votre école n'était pas vraiment une bonne école », dit, sur un ton très soulagé, la Tortue-Façon-Tête de Veau. « Dans la *nôtre*, voyez-vous, au bas de la note, on avait : “Français, musique *et blanchissage*… supplément.” »

« Vous ne pouviez en avoir un grand besoin », dit Alice ; « vivant au fond de la mer. »

---

réplique précédente **everyday**, *chaque jour*).

4. **extras** : jeu de mots car **extras** signifie *supplément*, *frais supplémentaires* et également « *art d'agrément* » à l'école, au nombre desquels on comptait les cours de français et de musique.

5. **bill** : *facture* et aussi *liste* (cf. p. 80).

6. **extra** : *en sus*, *en supplément* (cf. n. 4), suite et fin du jeu de mots ; ❑ **no extra charge**, *pas de supplément* ; **extra police**, *renforts de police* ; **extra work**, *surcroît de travail*.

"I couldn't afford[1] to learn it," said the Mock Turtle with a sigh. "I only took the regular course."

"What was that?" inquired Alice.

"Reeling and Writhing[2], of course, to begin with," the Mock Turtle replied; "and then the different branches of Arithmetic[3] –Ambition, Distraction, Uglification, and Derision."

"I never heard of 'Uglification,'" Alice ventured to say. "What is it?"

The Gryphon lifted up both its paws in surprise. "Never heard of uglifying!" it exclaimed. "You know what to beautify is, I suppose?"

"Yes," said Alice doubtfully: "it means –to –make –anything –prettier."

"Well, then," the Gryphon went on, "if you don't know what to uglify[4] is, you are a simpleton[5]."

Alice did not feel encouraged to ask any more questions about it, so she turned to the Mock Turtle, and said, "What else[6] had you to learn?"

"Well, there was Mystery," the Mock Turtle replied, counting off the subjects on his flappers "–Mystery, ancient and modern, with Seaography: then Drawling –the Drawling-master was an old conger-eel, that used to come once a week: *he* taught us Drawling, Stretching, and Fainting in Coils."

"What was *that* like?" said Alice.

---

1. **to afford** : 1. (ici) à la suite de **can, could, be able to,** *avoir les moyens de* . 2. *fournir, procurer.*

2. **Reeling and Writhing** : **to reel,** *chanceler, tituber, vaciller, tournoyer* ; **to writhe,** *se tordre* ; jeux de mots phonétiques pour parodier les disciplines scolaires, **reading,** *lecture* et **writing,** *écriture.*

3. **Arithmetic** : suite des analogies phonétiques, **ambition** pour

« Je n'avais pas les moyens d'apprendre ce supplément », dit la Tortue-Façon-Tête de Veau en soupirant. « Je ne prenais que les cours ordinaires. »

« C'était quoi ? » s'enquit Alice.

« La Tournure et la Torture pour commencer, bien sûr », répliqua la Tortue ; « puis les différentes branches de l'Arithmétique, l'Ambition, la Distraction, l'Enlaidification et la Dérision.»

« Je n'ai jamais entendu parler de l'Enlaidification », se risqua Alice. « Qu'est-ce que c'est ? »

Le Griffon leva ses deux pattes à la fois, de surprise.

« Jamais entendu parler d'enlaidifier ! » s'exclama-t-il, « vous savez ce qu'embellir signifie, je suppose ? »

« Oui », dit Alice en hésitant : « Cela signifie – rendre… n'importe quoi… plus joli. »

« Eh bien, alors », poursuivit le Griffon, « si vous ne savez pas ce que signifie enlaidifier, vous êtes une nigaude. »

Alice ne se sentit pas encouragée à poser d'autres questions à ce sujet : aussi se tourna-t-elle vers la Tortue-Façon-Tête de Veau, et dit : « qu'aviez-vous d'autre à apprendre ? »

« Eh bien, il y avait le Mystoire », répliqua la Tortue-Façon-Tête de Veau en comptant les sujets sur ses pattes-nageoires, « ancienne et moderne, avec la Merographie : ensuite le Gressin, le professeur de Gressin était un vieux congre, qui venait une fois par semaine : *lui* nous enseignait le Gressin, l'Esquive et la Teinture à rouleaux. »

---

addition, **distraction** pour *division*, **uglification** (*enlaidissement*) pour *multiplication*, **dérision** pour *division*.

4. **to uglify** : *enlaidir*.

5. **simpleton** : *niais(e)*, *nigaud(e)*, *bêta(sse)* ; *nouille*.

6. Suite de la parodie : **mystery** pour **history**, **drawling** (**to drawl**, *parler d'une voix traînante*) pour **drawing** (*dessin*), **stretching** (**to stretch**, *étirer*, cf. p. 96, 5.) pour **sketching** (*esquisse*), **fainting in coils** (**to faint**, *s'évanouir*, **coils**, *rouleau*) pour **painting in oil** (*peinture à l'huile*).

"Well, I ca'n't show it you, myself," the Mock Turtle said: "I'm too stiff. And the Gryphon never learnt it."

"Hadn't time," said the Gryphon: "I went to the Classical master, though. He was an old crab[1], *he* was."

"I never went to him," the Mock Turtle said with a sigh. "He taught Laughing and Grief[2], they used to say."

"So he did, so he did," said the Gryphon, sighing in his turn; and both creatures hid[3] their faces in their paws.

"And how many hours a day did you do lessons?" said Alice, in a hurry to change the subject.

"Ten hours the first day," said the Mock Turtle: "nine the next, and so on."

"What a curious plan !" exclaimed Alice.

"That's the reason they're called lessons," the Gryphon remarked: "because they lessen[4] from day to day.

This was quite a new idea to Alice, and she thought it over a little before she made her next remark. "Then the eleventh day must have been a holiday[5]?"

"Of course it was," said the Mock Turtle.

"And how did you manage on the twelfth?" Alice went on eagerly.

"That's enough about lessons," the Gryphon interrupted in a very decided tone. "Tell her something about the games now."

---

1. **crab** : *crabe* mais aussi *grincheux.*

2. **Laughing and Grief** : suite de la parodie. **Laughing** (*le rire*) pour *latin* et **Grief** (*chagrin*) pour **Greek** (*grec*).

3. **to hide (hid, hidden)** : *cacher, dissimuler* ; *se cacher.*

4. **to lessen** : *diminuer, rapetisser* ; autre jeu de mots phonétique, basé sur l'identité de prononciation entre **lesson** (*leçon*) et **lessen** (*raccourcir*).

« Ça ressemblait à quoi ? » dit Alice.

« Eh bien, je ne saurais vous le montrer moi-même », dit la Tortue-Façon-Tête de Veau : « Je suis trop raide. Quant au Griffon, il ne l'a jamais appris. »

« Pas eu le temps », dit le Griffon. « J'étais avec le Maître de Lettres classiques. Un vieux crabe *grincheux* que c'*était.* »

« Je n'ai jamais été le voir », dit la Tortue-Tête de Veau en soupirant : « Il enseignait le Larcin et la Crêpe, disait-on. »

« C'est cela, c'est cela », dit le Griffon en soupirant à son tour, et les deux créatures se cachèrent la face dans leurs pattes.

« Et combien d'heures de cours aviez-vous par jour ? » dit Alice, pressée de changer de sujet.

« Dix heures le premier jour », dit la Tortue-Façon-Tête de Veau : « neuf le jour suivant, et ainsi de suite. »

« Quel curieux programme ! » s'exclama Alice.

« C'est la raison pour laquelle on appelle cela des cours », fit remarquer le Griffon : « C'est parce qu'ils sont de plus en plus courts chaque jour. »

C'était là pour Alice une idée tout à fait nouvelle, et elle y réfléchit un moment avant de formuler sa remarque suivante. « Alors, le onzième jour a dû être un jour de vacances ? »

« Bien sûr que c'en était un », fit la Tortue-Façon-Tête de Veau.

« Et comment vous êtes-vous débrouillé le douzième jour ? » continua Alice avec impatience.

« Ça suffit avec les cours », interrompit le Griffon d'un ton très décidé. « Racontez-lui quelque chose sur les jeux, maintenant. »

---

5. Petit jeu « arithmétique » : avec la règle de diminution progressive, le 11e jour sera dépourvu d'heures de cours, et donc *jour de vacances.*

jours	1	2	3	4	5	6	7	8	9	10	11	**12**
cours	10	9	8	7	6	5	4	3	2	1	0	?

CHAPTER X

THE LOBSTER QUADRILLE *

LE QUADRILLE DES HOMARDS

* Danse de la fin du 18e siècle exécutée par quatre couples de danseurs.

The Mock Turtle sighed deeply, and drew the back of one flapper[1] across his eyes. He looked at Alice, and tried to speak, but, for a minute or two, sobs choked[2] his voice. "Same as if he had a bone in his throat," said the Gryphon: and it set to work shaking him and punching him in the back. At last the Mock Turtle recovered his voice, and, with tears running down his cheeks, he went on again:

"You may not have lived much under the sea–" ("I haven't, said Alice) –"and perhaps you were never even introduced to a lobster[3]–" (Alice began to say, "I once tasted–" but checked[4] herself hastily, and said, "No, never") "–so you can have no idea what a delightful thing a lobster Quadrille is!"

"No, indeed," said Alice. "What sort of a dance is it?"

"Why," said the Gryphon, "you first form into a line along the sea-shore–"

"Two lines!" cried the Mock Turtle. "Seals[5], turtles,salmons and so on; then, when you've cleared[6] the jelly-fish out of the way–"

"*That* generally takes some time," interrupted the Gryphon;

"–you advance twice–"

"Each with a lobster as a partner[7]!" cried the Gryphon.

"Of course," the Mock Turtle said: "advance twice, set to partners[7]–"

" –change lobsters, and retire in same order," continued the Gryphon.

---

1. **flapper** : 1. (ici) *patte-nageoire, battoir.* 2. *tapette* ; *claquette.* 3. (pop.) *jeune fille.*
2. **to choke** : 1. (ici) *(s')étrangler, (s')étouffer, suffoquer.* 2. *boucher, engorger, obstiner.*
3. **lobster** : 1. *homard.* 2. (pop.) *soldat en tunique rouge.*

La Tortue-Façon-Tête de Veau poussa un profond soupir et passa sur ses yeux le revers d'un de ses battoirs. Elle regarda Alice et tenta de parler, mais, pendant une minute ou deux, des sanglots lui étranglèrent la voix. « Pareil que si elle avait une arête dans le gosier », dit le Griffon ; et il se mit en peine de la secouer et de lui taper dans le dos. Finalement, la Tortue retrouva la parole, et, les joues ruisselantes de larmes, elle poursuivit à nouveau :

« Vous n'avez peut-être pas beaucoup vécu sous la mer… » («Non, en effet », dit Alice) « et on ne vous a sans doute jamais présentée à un homard… » (Alice commença à dire : « Une fois, j'ai goûté… » mais elle s'arrêta net et dit : « Non, jamais ») «… aussi vous ne pouvez imaginer combien un quadrille de homards peut être délicieux ! »

« Non, en effet », répondit Alice, « Quelle sorte de danse est-ce donc ? »

« Eh bien », dit le Griffon, « on se met d'abord sur un rang le long du rivage… »

« Deux rangs ! » cria la Tortue-Façon-Tête de Veau. « Phoques, tortues, saumons, et ainsi de suite ; ensuite, quand vous avez débarrassé le terrain de toutes les méduses… »

« *Cela* prend en général un certain temps », interrompit le Griffon.

«… On fait deux pas en avant… »

« Chacun avec un homard pour partenaire ! » cria le Griffon.

« Naturellement », dit la Tortue-Façon-Tête de Veau : « deux pas en avant, chassé-croisé… »

« Changez de homard, et on se retire dans le même ordre », continua le Griffon.

---

4. **to check** : 1. (ici) *contrôler* ; *retenir* ; *arrêter net*. 2. *échec, mettre en échec, faire échec*. 3. *vérifier*.
5. **seal** : 1. (ici) *phoque* ; **eared seal**, *otarie*. 2. **scean**, *cachet*.
6. **to clear** : 1. (ici) *dégager, déblayer, désemcombrer*. 2. *innocenter*. 3. *éclaircir*.
7. **set to partner** : (terme de danse) *chassé-croisé* ; ❑ **partner**, 1. (ici) *cavalier(e)*. 2. *associé, partenaire*.

"Then, you know," the Mock Turtle went on, "you throw the–"

"The lobsters!" shouted the Gryphon, with a bound into the air.

"–as far out to sea as you can–"

"Swim after them!" screamed the Gryphon.

"Turn a somersault in the sea !" cried the Mock Turtle, capering[1] wildly about.

"Change lobsters again!" yelled the Gryphon at the top of its voice.

"Back to land again, and –that's all the first figure[2]," said the Mock Turtle, suddenly dropping his voice; and the two creatures, who had been jumping about like mad things all this time, sat down again very sadly and quietly, and looked at Alice.

"It must be a very pretty dance," said Alice, timidly.

"Would you like to see a little of it?" said the Mock Turtle.

"Very much indeed," said Alice.

"Come, let's try the first figure!" said the Mock Turtle to the Gryphon. "We can do without lobsters, you know. Which[3] shall[4] sing?"

"Oh, *you* sing," said the Gryphon. "I've forgotten the words."

So they began solemnly dancing round and round Alice, every now and then treading[5] on her toes when they passed too close, and waving their fore-paws to mark the time, when the Mock Turtle sang this, very slowly and sadly:

---

1. **to caper** : *faire des entrechats, cabrioler, gambader* ; **caper**, *cabriole, entrechat, gambade.*

2. **figure** : 1. (ici) *figure.* 2. *chiffre.* 3. *silhouette, tournure.*

« Après cela, voyez-vous », poursuivit la Tortue-Façon-Tête de Veau, « vous jetez les... »

« Les homards ! » cria le Griffon en bondissant en l'air.

« ... le plus loin possible dans la mer... »

« Vous vous lancez derrière eux à la nage ! » cria le Griffon à tue-tête.

« Vous faites une culbute dans la mer ! » cria la Tortue-Façon-Tête de Veau en cabriolant follement dans tous les sens.

« Vous changez à nouveau de homard », hurla le Griffon.

« Vous revenez à terre... et c'est tout pour la première figure », dit la Tortue-Façon-Tête de Veau, baissant soudain le ton ; et les deux créatures qui n'avaient cessé de bondir comme des folles se rassirent, très calmement et tristement, puis regardèrent Alice.

« Cela doit être une bien jolie danse », fit timidement Alice.

« Aimeriez-vous en voir un petit peu ? » dit la Tortue-Façon-Tête de Veau.

« Vraiment beaucoup », dit Alice.

« Essayons la première figure ! » dit la Tortue-Façon-Tête de Veau au Griffon.

« Nous pouvons la faire sans les homards, voyez-vous. Qui de nous deux va chanter ? »

« Oh ! Chantez, *vous* ! » dit le Griffon. J'ai oublié les paroles. »

Et ils commencèrent à danser en rond, solennellement autour d'Alice, lui écrasant les orteils de temps à autre quand ils passaient trop près, battant la mesure en agitant leurs pattes de devant tandis que la Tortue-Façon-Tête de Veau chantait ceci, très lentement et tristement :

---

4. *personne* ; *personnage.* 4. *image, représentation* ; *illustration.*
3. **which** : *lequel des deux* (cf. p. 114, 1.)
4. **shall** : cf. p. 162, 1.
5. **to tread** : 1. (ici) *marcher sur, écraser, fouler.* 2. *marcher.* 3. *appuyer sur* (accélérateur).

"Will you walk a little faster," said a whiting[1] to a snail[2],
"There's a porpoise close behind us, and h's treading on my tail;
See how eagerly the lobsters and the turtles all advance!
They are waiting on the shingle[3] - will you come and join the dance?
Will you, won't you, will you, won't you, will you join the dance?
Will you, won't you, will you, won't you, won't you join the dance?

"You can really have no notion how delightful it will be,
When they take us up and throw us, with the lobsters, out to sea!"
But the snail replied "Too far, too far!" and gave a look askance[4] -
Said he thanked the whiting kindly, but he would not join the dance;
Would not, could not, would not, could not, would not join the dance;
"What matters it[5] how far we go?" his scaly[6] friend replied.
"There is another shore, you know, upon the other side.
The further off from England the nearer is to France -
Then turn not pale, beloved snail, but come and join th dance.
Will you, won't you, will you, won't you, won't you join the dance?"
Will you, won't you, will you, wont you, wont you join the dance?"

---

1. **whiting** : 1. (ici) *merlan.* 2. *blanc d'Espagne* (cf. p. 228, 2.)
2. **snail** : *escargot* ; *limaçon* ; ❑ parodie d'un poème de Mary Howith, **The Spider and the Fly** (*L'Araignée et la Mouche*), commencant ainsi : **"Will you walk into my parlour said the Spider to the Fly."**
3. **shingle** : 1. *galet* ; *caillou* ; **shingle beach**, *plage de galets.*

Un merlan dit à un escargot : « Voulez-vous avancer plus vite un peu
Il y a derrière nous un marsouin, et il marche sur ma queue
Regardez avec quel empressement les homards et les tortues toutes avancent
Ils attendent sur les galets : voulez-vous entrer dans la danse ?
Voulez-vous, ne voulez-vous pas, voulez-vous, ne voulez-vous pas entrer dans la danse ?
Voulez-vous, ne voulez-vous pas, voulez-vous, ne voulez-vous pas entrer dans la danse ?

Vous n'avez pas la moindre idée du délice que ce sera
Quand on nous attrape et qu'avec les homards dans la mer on nous jettera. »
Mais l'escargot répondit : « Trop loin, trop loin ! » et avec un regard de défiance
Dit qu'il remerciait vivement le merlan, mais qu'il n'entrerait pas dans la danse ;
Ne voulait pas, ne pouvait pas, ne voulait pas, ne pouvait pa entrer dans la danse ;

« Qu'importe que nous allions loin ? » son écailleux ami répliqua.
Sur l'autre bord, savez-vous, un autre rivage il y a.
Plus on s'éloigne de l'Angleterre, plus on s'approche de la France
Alors, mon escargot adoré, ne pâlissez pas, mais venez et entre dans la danse.
Voulez-vous, ne voulez-vous pas, voulez-vous, ne voulez-vous pas entrer dans la danse ?
Voulez-vous, ne voulez-vous pas, voulez-vous, ne voulez-vous pas entrer dans la danse ? »

---

4. **askance** : (archaïsme) *du coin de l'œil, obliquement.*
5. **what matters it?** = **what does it matter**? et, plus loin, **turn not pale** = **do not turn** (archaïsmes poétiques).
6. **scaly** : 1. *écailleux*, mais aussi 2. (pop.) *mesquin, minable.*

"Thank you, it's a very interesting dance to watch," said Alice, feeling very glad that it was over at last: "and I do so like[1] that curious song about the whiting!"

"Oh, as to the whiting," said the Mock Turtle, "they– you've seen them, of course?"

"Yes," said Alice, "I've often seen them at dinn–" she checked herself hastily.

"I don't know where Dinn may be," said the Mock Turtle, "but if you've seen them so often, of course you know what they're like?"

"I believe so," Alice replied thoughtfully. "They have their tails in their mouths[2] –and they're all over crumbs[3],"

"You're wrong about the crumbs," said the Mock Turtle: "crumbs would all wash off in the sea. But they *have* their tails in their mouths; and the reason is–" here the Mock Turtle yawned and shut his eyes. "Tell her about the reason and all that," he said to the Gryphon.

"The reason is," said the Gryphon, "that they *would* go with the lobsters to the dance. So they got thrown out to sea. So they had to fall a long way. So they got their tails fast in their mouths. So they couldn't get them out again. That's all."

"Thank you," said Alice, "it's very interesting. I never knew so much about a whiting before."

"I can tell you more than that, if you like," said the Gryphon. "Do you know why it's called a whiting?"

"I never thought about it," said Alice. "Why?"

"*It does*[4] *the boots and shoes,*" the Gryphon replied very solemnly.

---

1. **I do so like** : double insistance.

2. **their tails in their mouths** : « On m'a appris depuis », écrit L. Carroll, « que les poissonniers placent leur queue à travers leur

« Merci, c'est une danse très intéressante à regarder », dit Alice, se sentant tout heureuse que ce fût enfin terminé, « et j'aime vraiment tellement cette chanson sur le merlan ! »

« Oh ! pour ce qui est du merlan », dit la Tortue-Façon-Tête de Veau, « ils... vous en avez vu, bien sûr ? »

« Oui », dit Alice, « j'en ai souvent vu au dîn... » Elle se retint précipitamment.

« J'ignore où peut se trouver Le Dine », dit la Tortue-Tête de Veau ; « mais si vous en avez vu si souvent, vous savez bien à quoi ils ressemblent ? »

« Je le crois bien », répliqua Alice pensivement. « Ils ont la queue dans la bouche et ils sont tout couverts de miettes de pain. »

« Vous faites erreur pour les miettes », dit la Tortue-Façon-Tête de Veau : « L'eau de mer les emporterait toutes. En revanche, ils ont *bien* leur queue dans la bouche ; et la raison en est... » Sur ce, la Tortue-Façon-Tête de Veau bâilla et ferma les yeux. « Dites-lui la raison et tout le reste », dit-elle au Griffon.

« La raison en est », fit le Griffon, « qu'ils *voulaient* danser avec les homards. Ils se sont fait lancer dans la mer. Il leur fallut tomber très loin. Aussi ils se mirent la queue fermement dans la bouche, de sorte qu'ils ne purent l'en retirer. Voilà tout. »

« Merci», dit Alice, « c'est très intéressant. Je n'ai jamais jusqu'ici été aussi savante concernant les merlans. »

« Je peux vous en dire plus que cela, si vous voulez », dit le Griffon. Est-ce que vous savez pourquoi on les nomme merlans ? »

« Je n'y avais jamais pensé », dit Alice. « Pourquoi ? »

« *Ils font les bottines et les chaussures* », répondit le Griffon avec solennité.

œil (*The life and letters of Lewis Carroll*, par Stuart Collingwood).

3. **crumbs** : 1. (ici) *miettes* (de pain) ; **bread crumb**, *chapelure* ; **fried in bread crumbs**, *panés*.

4. **to do** : parmi les nombreux sens de **do**, on a ici l'idée de nettoyage ; ❑ **to do the shoes**, *cirer les chaussures* ; **to do the housework**, *faire le ménage*.

Alice was thoroughly puzzled. "Does the boots and shoes!" she repeated in a wondering tone.

"Why, what are *your* shoes done with?" said the Gryphon. "I mean, what makes them so shiny?"

Alice looked down at them, and considered a little before she gave her answer. "They're done with blacking[1], I believe."

"Boots and shoes under the sea," the Gryphon went on in a deep voice, "are done with whiting[2]. Now you know."

"And what are they made of[3]?" Alice asked in a tone of great curiosity.

"Soles[4] and eels[5], of course," the Gryphon replied rather impatiently: "any shrimp[6] could have told you that."

"If I'd been the whiting," said Alice, whose thoughts were still running on the song, "I'd have said to the porpoise, 'Keep back, please! We don't want *you* with us!'"

"They were obliged to have him with them," the Mock Turtle said. "No wise fish would go anywhere without a porpoise."

"Wouldn't it, really" said Alice, in a tone of great surprise.

"Of course not," said the Mock Turtle. "Why, if a fish came to *me*, and told me he was going a journey, I should say, 'With what porpoise?'"

"Don't you mean 'purpose[7]'?" said Alice.

"I mean what I say," the Mock Turtle replied in an offended tone. And the Gryphon added,

---

1. **blacking** : *cirage* ; **to black,** *noircir, cirer* (**boots,** *bottes*).
2. **whiting** : ici jeu de mots entre les deux sens de *whiting,* voir précédemment (cf. p. 222, 1), *merlan* et *blanc d'Espagne* (produit d'entretien).
3. **made of** : opposition **to do** (*faire*) et **to make** (*fabriquer*).

Alice fut complètement décontenancée. « Font les bottines et les chaussures ! » répéta-t-elle, avec étonnement.

« Voyons, avec quoi fait-on vos souliers ? » dit le Griffon. « Je veux dire, qu'est-ce qui les rend si brillants ? »

Alice abaissa les yeux sur eux, et réfléchit un peu avant de donner sa réponse : « On les fait avec du cirage noir, je crois. »

« Sous la mer, bottines et souliers », poursuivit le Griffon d'une voix profonde, « sont faits avec du cirage blanc merlan. Maintenant, vous savez. »

« Et de quoi sont-ils faits ? » demanda Alice sur un ton de vive curiosité.

« Avec des soles semelles et des talons anguilles, bien sûr », répondit, plutôt impatienté, le Griffon, « n'importe quelle crevette aurait pu vous répondre. »

« A la place du merlan », dit Alice, dont les pensées tournaient toujours autour de la chanson, « j'aurais dit au marsouin : "N'avancez pas, s'il vous plaît, nous ne *vous* voulons pas avec nous." »

« Ils étaient obligés de le prendre avec eux », dit la Tortue-Façon-Tête de Veau. « Aucun poisson avisé ne se déplacerait quelque part sans un marsouin. »

« Ah, vraiment ? » dit Alice, sur un ton très surpris.

« Bien sûr que non », répliqua la Tortue-Façon-Tête de Veau. « Voyons, si un poisson venait *me* voir et me disait qu'il partait en voyage, je devrais lui dire : "Avec quel marsouin ?" »

« Ne voulez-vous pas dire "quel dessein ?" » dit Alice.

« Je veux dire ce que je dis », répondit la Tortue-Façon-Tête de Veau d'un ton offensé. Et le Griffon ajouta :

---

4. **soles** : jeu de mots. 1. *sole* (poisson). 2. *semelle*.
5. **eel** : *anguille* et jeu de mots avec **(h)eel**, *talon*, que le Griffon, qui parle un anglais peu relevé, ne prononce pas les **h**.
6. **shrimp** : *crevette*, mais aussi *avorton*, *gringalet*.
7. Jeu de mots sur l'analogie phonétique entre **porpoise** (po:pes) et **purpose** (pe:pes).

"Come, let's hear some of *your* adventures."

"I could tell you my adventures –beginning from this morning," said Alice a little timidly: "but it's no use going back to yesterday, because I was a different person then."

"Explain all that," said the Mock Turtle.

"No, no! The adventures first," said the Gryphon in an impatient tone: "explanations take such a dreadful time."

So Alice began telling them her adventures from the time when she first saw the White Rabbit. She was a little nervous about it just at first, the two creatures got so close to her, one on each side, and opened their eyes and mouths so *very* wide; but she gained[1] courage as she went on. Her listeners were perfectly quiet till she got to the part[2] about her repeating *"You are old, Father William,"* to the Caterpillar, and the words all coming different, and then the Mock Turtle drew a long breath, and said, "That's very curious!"

"It's all about as curious as it can be," said the Gryphon.

"It all came different!" the Mock Turtle repeated thoughtfully. "I should like to hear her try and repeat something now. Tell her to begin." He looked at the Gryphon as if he thought it had some kind of authority over Alice.

"Stand up and repeat "' *Tis the voice of the sluggard*[3],'" said the Gryphon.

"How the creatures order one about[4], and make one repeat lessons!" thought Alice.

---

1. **to gain** : 1. (ici) *prendre, acquérir.* 2. *gagner, remporter* (victoire). 3. (montre) *avancer* ; **to gain three minutes a day,** *avancer de trois minutes par jour.*

2. **part** : 1. (ici) *partie, endroit.* 2. *part* ; **to take part,** *prendre part.* 3. *rôle, personnage.* 4. *pièce* ; **spare part,** *pièce de rechange.* 5. *partition* (musique).

« Venez, écoutons quelques-unes de *vos* aventures. »

« Je pourrais vous raconter mes aventures... en commençant à partir de ce matin », dit Alice un peu timidement : « mais il est inutile de remonter jusqu'à hier, parce que j'étais alors une personne différente. »

« Expliquez-nous tout cela », dit la Tortue-Façon-Tête de Veau.

« Non, non ! Les aventures d'abord », dit le Griffon sur un ton impatient : « Les explications, c'est horriblement long. »

Alice se mit donc à leur raconter ses aventures depuis le moment où elle avait vu le Lapin Blanc pour la première fois. Elle fut un peu mal à l'aise, au tout début, les deux créatures étant venues la serrer de près, une de chaque côté, les yeux et la bouche *grands* ouverts ; mais, à mesure qu'elle parlait, elle prit courage. Ses auditeurs restèrent parfaitement silencieux jusqu'au passage où lui étaient venues à la bouche des paroles différentes quand elle avait récité à la Chenille : *« Vous êtes vieux, Père William »* ; alors la Tortue-Façon-Tête de Veau respira profondément et dit : « Voilà qui est bien curieux ! »

« Plus curieux ça n'est pas possible ! » fit le Griffon.

« Tout est venu de façon différente ! » répéta pensivement la Tortue-Façon-Tête de Veau. « J'aimerais maintenant l'entendre essayer de nous réciter quelque chose. Dites-lui de commencer. » Il regarda le Griffon comme s'il pensait qu'il avait une sorte d'emprise sur Alice.

« Levez-vous et récitez "*C'est la voix du paresseux*" », dit le Griffon.

« Comme ces créatures vous distribuent des ordres et vous font réciter des leçons ! » pensa Alice.

---

3. **Tis the voice of the sluggard** : "*C'est la voix du paresseux*", ce sont les premiers mots de **The Sluggard** (du théologien anglais Isaac Watts, 1674-1748), autre poème moralisateur (cf. p. 48) et soporifique, infligé aux enfants de l'époque de Carroll.
4. **to order about** : *commander, donner des ordres à droite et à gauche.*

"I might just as well be at school at once." However, she got up, and began to repeat it, but her head was so full of the Lobster-Quadrille, that she hardly knew what she was saying; and the words came very *queer indeed*:

"'Tis the voice of the Lobster: I heard him declare,
'You have baked me too brown, I must sugar my hair.'
As a duck with its eyelids, so he with his nose
Trims his belt and his buttons, and turns out his toes.
When the sands are all dry, he is gay as a lark[1],
And will talk in contemptuous tones of the Shark:
But, when the tide rises and sharks are around,
His voice has a timid and tremulous[2] *sound."*

"That's different from what *I* used to say when I was a child," said the Gryphon.

"Well, *I* never heard it before," said the Mock Turtle; "but it sounds uncommon nonsense."

Alice said nothing; she had sat down with her face in her hands, wondering if anything would *ever* happen in a natural way again.

"I should like to have it explained," said the Mock Turtle.

"She ca'n't explain it," hastily said the Gryphon; "Go on with the next verse."

"But about his toes?" the Mock Turtle persisted. "How *could* he turn them out with his nose, you know?"

"It's the first position in dancing," Alice said; but was dreadfully puzzled by the whole thing, and longed[3] to change the subject.

---

1. **lark** : 1. (ici) *alouette*, mais aussi 2. (fam.) *blague, farce, rigolade.*

2. **tremulous** : *tremblotant, craintif, mal assuré.*

3. **to long** : *être impatient de, avoir hâte de* ; **to long for sth.**, *désirer qqch. ardemment.*

« Je pourrais aussi bien me retrouver tout de suite en classe. » Elle se leva néanmoins et commença à répéter le poème, mais sa tête était si pleine du Quadrille des Homards qu'elle savait à peine ce qu'elle disait et de *fort étranges* paroles lui vinrent à la bouche :

« C'est la voix du Homard : je l'entends déclarer
"Je dois sucrer ma chevelure, car tu m'as trop fait dorer."
Comme un canard avec ses paupières, ainsi lui avec son nez
Ajuste ceinture et boutons et tourne en dehors ses doigts de pied.
Quand les sables sont tout secs, comme une alouette il est joyeux,
Et parlera du Requin sur un ton dédaigneux :
Mais, lorsque les requins rappliquent et que monte la marée,
Sa voix émet un son timide et mal assuré. »

« C'est différent de ce que *moi* je récitais quand j'étais petit », dit le Griffon.

« Eh bien, *moi*, je n'ai jamais entendu ça », dit la Tortue-Façon-Tête de Veau ; « mais ça paraît d'une absurdité peu commune. »

Alice ne répondit rien : elle s'était assise, le visage dans les mains, se demandant si quelque chose de normal allait encore jamais se produire.

« J'aimerais que l'on me l'explique », dit la Tortue-Façon-Tête de Veau.

« Elle n'en est pas capable », s'empressa de dire le Griffon. « Continuez avec la strophe suivante. »

« Mais en ce qui concerne ses doigts de pied ? » insista la Tortue-Façon-Tête de Veau. « Comment *pourrait-il* les tourner en dehors avec son nez, à votre avis ? » « C'est la première position lorsque l'on danse », dit Alice ; mais tout cela l'avait rendue terriblement perplexe et elle avait hâte de changer de sujet.

"Go on with the next verse," the Gryphon repeated: "it begins with the words, '*I passed by his garden*'."

Alice did not dare to disobey, though she felt sure it would all come wrong, and she went on in a trembling voice:

"I passed by his garden, and marked, with one eye,
How the Owl and the Panther were sharing a pie[1]*:*
The Panther took pie-crust, and gravy[2]*, and meat,*
While the Owl had the dish as its share of the treat[3]*.*
When the pie was all finished, the Owl, as a boon[4]*,*
Was kindly permitted to pocket the spoon:
While the Panther received knife and fork with a growl,
And conclude the banquet by -"

"What is the use of repeating all that stuff," the Mock Turtle interrupted, "if you don't explain it as you go on? It's by far the most confusing thing I ever heard!"

"Yes, I think you'd better leave off," said the Gryphon: and Alice was only too glad to do so;

"Shall we try another figure of the Lobster Quadrille?" the Gryphon went on. "Or would you like the Mock Turtle to sing you a song?"

"Oh, a song, please, if the Mock Turtle would be so kind," Alice replied, so eagerly that the Gryphon said in a rather offended tone, "Hm! No accounting for tastes[5]. Sing her '*Turtle Soup*[6],' will you, old fellow?"

The Mock Turtle sighed deeply, and began, in a voice sometimes choked with sobs, to sing this:

---

1. **pie** : 1. (ici) *pâté* ; *tourte.* 2. **mag pie,** *pie.*
2. **gravy** : 1. (ici) *jus de viande* ; *sauce.* 2. (U.S. fam;) *rabiot.*
3. **treat** : 1. (ici) *régal, festin.* 2. *plaisir.*
4. **boon** : 1. (ici) *faveur.* 2. *bienfait, avantage.*
5. **no accounting for tastes** : m. à m. *pas de justification des*

« Passez à la strophe suivante », répéta le Griffon : ça commence par "*je suis passé par son jardin*" ».

Alice n'osa pas désobéir, bien qu'elle fût certaine que tout viendrait de travers, et poursuivit, d'une voix tremblante :

« Je suis passé par son jardin et d'un œil j'ai remarqué
Comment la Chouette et la Panthère partageaient un pâté :
Et sa croûte, et son jus et sa chair la Panthère avala
Tandis que pour sa part du régal le Hibou eut le plat.
Comme faveur à la Chouette, quand tout le pâté fut terminé,
D'empocher la cuiller fut aimablement accordé :
Tandis que la Panthère en grognant recevait couteau et fourchette
Et concluait le banquet par… »

« A quoi bon réciter tout ce fatras » interrompit la Tortue-Façon-Tête de Veau, « si vous ne l'expliquez pas au fur et à mesure ? C'est, de loin, la chose la plus obscure que j'aie jamais entendue. »

« Oui, je crois que vous feriez mieux d'en rester là », dit le Griffon : et Alice ne fut que trop heureuse d'obtempérer.

« Allons-nous essayer une autre figure du Quadrille des Homards ? » poursuivit le Griffon. « Ou bien aimeriez-vous que la Tortue-Façon-Tête de Veau vous chante une autre chanson ? »

« Oh, une chanson, s'il vous plaît, si la Tortue-Façon-Tête de Veau veut bien », répondit Alice avec tant d'empressement que le Griffon, l'air plutôt vexé, dit : « Hum ! Chacun ses goûts… ! Chantez-lui "*Soupe à la Tortue*", voulez-vous, vieille branche ? »

La Tortue-Façon-Tête de Veau poussa un profond soupir et, d'une voix étranglée de sanglots, commença à chanter ceci :

---

goûts ; ❑ **to account for,** *expliquer, justifier* ; **account,** *compte rendu* ; *explication* ; *compte* ; *valeur.*

6. **Turtle Soup** : parodie d'une chanson populaire de l'époque, **Star of the Evening,** commençant par **Beautiful star in heav'n so bright,** *Belle étoile si brillante dans le ciel*

"Beautiful Soup, so rich and green,
Waiting in a hot tureen[1]*!*
Who for such dainties[2] *would not stoop ,*
Soup of the evening, beautiful Soup!
Soup of the evening, beautiful Soup!
Beau–ootiful Soo–oop!
Beau–ootiful Soo–oop!
Soo-oop of the e–e–evening,
Beautiful, beautiful Soup!

"Beautiful Soup! Who cares for fish,
Game, or any other dish?
Who would not give all else for two p[3]
ennyworth only of beautiful Soup
Pennyworth only of beautiful Soup?
Beau–ootiful Soo-oop!
Beau–ootiful Soo-oop!
Soo–oop of the e–e–vening,
Beautiful, beauti–FUL SOUP!'

"Chorus again!" cried the Gryphon, and the Mock Turtle had just begun to repeat it, when a cry of "The trial's beginning!" was heard in the distance.

"Come on!" cried the Gryphon, and, taking Alice by the hand, it hurried off, without waiting for the end of the song.

"What trial is it?" Alice panted as she ran; but the Gryphon only answered, "Come on!" and ran the faster, while more and more faintly came, carried on the breeze that followed them, the melancholy words:

" Soo–oop of the e–e–evening,
Beautiful, beautiful Soup! "

« Magnifique soupe, si verte et appétissante,
Qui attend dans une soupière brûlante !
Pour un tel délice qui ne se serait incliné,
Soupe magnifique, soupe de la soirée !
Soupe magnifique, soupe de la soirée !
Magni-iifique sou-oupe !
Magni-iifique sou-oupe !
Sou-oupe de la s-s-soirée,
Magnifique soupe, magnifique soupe !

Magnifique soupe ! Qui penche pour le poisson,
Ou tout autre plat, ou de la venaison ?
Qui n'abandonnerait pas tout contre deux sous p
ratiquement de magnifique soupe,
Deux sous seulement de magnifique soupe ?
Magni-iifique sou-oupe !
Magni-iifique sou-soupe !
Sou-oupe de la s-s-soirée,
*Magnifique, magni-*FIQUE SOUPE *! »*

« Le refrain, encore ! » cria le Griffon, et la Tortue-Tête de Veau venait tout juste de reprendre, lorsqu'on entendit au loin crier : « Le procès commence ! »

« Venez ! » cria le Griffon, et, prenant Alice par la main, il partit à toute allure, sans attendre la fin de la chanson.

« De quel procès s'agit-il ? » demanda Alice haletant et courant. Mais le Griffon se contenta de répondre : « Venez ! » et courut de plus belle, tandis qu'arrivaient, de plus en plus faiblement portés par la brise qui les suivait, ces mots mélancoliques :

« Sou-oupe de la s-s-soirée,
Magnifique, magnifique soupe ! »

---

1. **tureen** : *soupière* ; *saucière* ; **pie-dish**, *terrine.*
2. **dainty** (pl. **dainties**) : *friandise* ; *gourmandise* ; *met délicat.*
3. **p.** : jeu de Carroll pour faire rimer **two p et soup**…

CHAPTER XI

WHO STOLE THE TARTS ?

QUI A VOLÉ LES TARTES ?

The King and Queen of Hearts were seated on their throne when they arrived, with a great crowd assembled about them –all sorts of little birds and beasts, as well as the whole pack of cards: the Knave was standing before them, in chains, with a soldier on each side to guard[1] him; and near the King was the White Rabbit, with a trumpet in one hand, and a scroll[2] of parchment in the other. In the very[3] middle of the court was a table, with a large dish of tarts[4] upon it: they looked so good, that it made Alice quite hungry to look at them– "I wish they'd get the trial done," she thought, "and hand round the refreshments!" But there seemed to be no chance of this, so she began looking about her, to pass away[5] the time.

Alice had never been in a court[6] of justice before, but she had read about them in books, and she was quite pleased to find that she knew the name of nearly everything there. "That's the judge," she said to herself, "because of his great wig."

The judge, by the way, was the King; and as he wore his crown over the wig (look at the frontispiece[7] if you want to see how he did it), he did not look at all comfortable, and it was certainly not becoming.

"And that's the jury-box," thought Alice, "and those twelve creatures," (she was obliged to say "creatures," you see, because some of them were animals, and some were birds), "I suppose they are the jurors."

---

1. **to guard** : 1. (ici) *garder, surveiller* ; **to guard one's words,** *mesurer ses paroles* ; ❑ (et aux cartes) **to guard one's spades,** *se garder à pique* ; 2. **to guard against sth.,** *à l'abri de, se prémunir.*
2. **scroll** : 1. (ici) *rouleau.* 2. *arabesque, enjolivure.*
3. **very** : pour insister (usage emphatique) ; **in the very middle,** *au*

Quand ils arrivèrent, le Roi et la Reine de Cœur siégeaient sur leur trône, avec autour d'eux une foule nombreuse composée de petits oiseaux et bestioles de toutes sortes, ainsi que le jeu de cartes au complet : le Valet, enchaîné, était debout devant eux, gardé par un Soldat sur chacun de ses côtés ; le Lapin Blanc, une trompette dans une main et un rouleau de parchemin dans l'autre. Au beau milieu de la salle du tribunal se trouvait une table où l'on avait posé un grand plat garni de tartes : elles avaient l'air si appétissantes qu'Alice en eut l'eau à la bouche. « Je voudrais bien qu'ils en aient fini avec ce procès », pensa-t-elle, « et qu'on passe les rafraîchissements ! » Mais il semblait qu'il n'y eût aucune chance que cela se produise et elle commença donc à regarder autour d'elle pour tuer le temps.

Alice n'avait jamais été dans une salle de tribunal, mais elle avait lu dans des livres qui en parlaient et elle fut toute heureuse de découvrir qu'elle savait le nom de presque tout ce qui s'y trouvait. « Ça, c'est le juge », se dit-elle, « à cause de sa grande perruque. »

Le Juge se trouvait, en fait, être le Roi ; et comme il portait sa couronne par-dessus sa perruque (jetez un coup d'œil au frontispice, si vous voulez voir comment il s'y prenait), il n'avait pas l'air du tout à son aise, et le résultat n'était certainement pas très seyant.

« Et ça, c'est le banc des jurés », pensa Alice, « et ces douze créatures » (elle était obligée d'employer le mot « créature », voyez-vous, car certaines d'entre elles étaient des mammifères et d'autres des oiseaux), « je suppose que ce sont les jurés. »

---

milieu même ; **at that very moment**, *à cet instant même.*

4. **tart** : 1. (ici) *tarte*, **apple-tart**, *tarte aux pommes* ; *tourte*. 2. *fille* (au sens de *prostituée*).

5. **to pass away** : 1. (ici) **to pass away the time**, *passer le temps*. 2. *trépasser*.

6. **court** : 1. (ici) *cour, tribunal*, **to come before the court**, *comparaître devant le tribunal*. 2. *cour* (royale). 3. *terrain, court* (tennis).

7. **frontispiece** : v. image p. 17.

She said this last word two or three times over to herself, being rather proud of it: for she thought, and rightly too, that very few little girls of her age knew the meaning of it at all. However, "jurymen[1]" would have done just as well.

The twelve jurors were all writing very busily on slates. "What are they all doing?" Alice whispered to the Gryphon. "They ca'n't have anything to put down yet, before the trial[2]'s begun."

"They're putting down[3] their names," the Gryphon whispered in reply, "for fear they should forget them before the end of the trial."

"Stupid things!" Alice began in a loud indignant voice; but she stopped herself hastily, for the White Rabbit cried out, "Silence in the court!" and the King put on his spectacles and looked anxiously round, to see who was talking.

Alice could see, as well as if she were looking over their shoulders, that all the jurors were writing down "Stupid things!" on their slates, and she could even make out that one of them didn't know how to spell[4] "stupid," and that he had to ask his neighbour to tell him; "A nice muddle[5] their slates 'll be in, before the trial's over!" thought Alice.

One of the jurors had a pencil that squeaked[6]. This, of course, Alice could *not* stand[7], and she went round the court and got behind him, and very soon found an opportunity of taking it away.

---

1. **juryman = juror**, *juré, membre du jury.*
2. **trial** : 1. (ici) *procès* ; *jugement* ; **to be brought to trial**, *passer en jugement.* 2. *épreuve, essai* ; **trial order**, *commande d'essai.*
3. **to put down** : 1. (ici) *noter, (s')inscrire* ; *attribuer.* 2. *déposer, poser.* 3. *réduire, supprimer.*

Deux ou trois fois elle se répéta à elle-même ce mot dont elle était fière : car, pensait-elle, et à juste titre, bien peu de petites filles de son âge en connaissaient un tant soit peu la signification. Cependant, « membres du jury » aurait sonné tout aussi bien.

Les douze jurés étaient tous affairés à écrire sur des ardoises.

« Qu'est-ce qu'ils font ? » chuchota Alice au Griffon. « Ils ne peuvent avoir déjà quelque chose à écrire, avant que le procès ne soit commencé. »

« Ils écrivent leurs noms », lui répondit le Griffon en chuchotant, « de peur de les oublier avant la fin du procès. »

« Stupide engeance ! » commença Alice d'une voix indignée ; mais elle se contint brusquement, car le Lapin Blanc s'écria : « Silence dans la salle ! » et le Roi chaussa ses lunettes et promena un regard inquiet autour de lui, pour distinguer qui parlait.

Alice put voir, aussi bien que si elle avait regardé par-dessus leur épaule, que tous les jurés étaient en train d'écrire « Stupide engeance ! » sur leurs ardoises et elle put même constater que l'un d'entre eux ne sachant pas comment épeler « stupide », dut demander à son voisin de le lui expliquer. « Ça fera un bel embrouillamini sur leur ardoise avant que le procès ne soit fini ! » pensa Alice.

Le crayon d'un des jurés crissait, ce qui, bien sûr, était intolérable pour Alice, qui, faisant le tour du tribunal, vint se placer derrière lui et trouva très vite l'occasion de le lui confisquer.

---

4. **to spell (spelt, spelt)** : 1. (ici) *épeler*. 2. *signifier*.

5. **muddle** : *confusion, embrouillamini, fouillis* ; **to muddle**, *brouiller, embrouiller, mettre la pagaille* ; **muddled**, *confus, en désordre, embrouillé*.

6. **to squeak** : 1. (ici) *grincer, crisser*. 2. *pousser des cris aigus*. 3. *faire des courses*.

7. **to stand** : (ici) *supporter*, cf. p. 158, 3.

She did it so quickly that the poor little juror (it was Bill, the Lizard) could not make out at all what had become of it; so, after hunting all about for it, he was obliged to write with one finger for the rest of the day; and this was of very little use, as it left no mark on the slate.

"Herald[1], read the accusation!" said the King.

On this the White Rabbit blew three blasts[2] on the trumpet, and then unrolled the parchment-scroll, and read as follows:

> *"The Queen of Hearts, she made some tarts,*
> *All on a summer day:*
> *The Knave of Hearts, he stole those tarts*
> *And took them quite away!"*

"Consider your verdict," the King said to the jury;

"Not yet, not yet!" the Rabbit hastily interrupted. "There's a great deal to come before that!"

"Call the first witness[3]," said the King; and the White Rabbit blew three blasts on the trumpet, and called out, "First witness!"

The first witness was the Hatter. He came in with a teacup in one hand and a piece of bread-and-butter in the other. "I beg pardon, your Majesty," he began, "for bringing these in; but I hadn't quite finished my tea when I was sent for."

"You ought to have finished," said the King. "When did you begin?"

---

1. **Herald** : *héraut* ; **to herald**, *annoncer, proclamer.*

2. **to blast** : 1. (ici) *coup, sonnerie* (trompette, sirène). 2. *bouffée, rafale* (vent). 3. *souffle, explosion.*

3. **witness** : 1. (ici) *témoin.* 2. *témoignage* ; **to bear witness**, *porter témoignage.*

Elle opéra si rapidement que le pauvre petit juré (c'était Bill, le Lézard) fut dans l'incapacité de comprendre ce qu'il en était advenu ; aussi, après l'avoir cherché partout, fut-il obligé d'écrire avec un doigt tout le restant de la journée, et cela ne servait pas à grand-chose, car son doigt ne laissait aucune trace sur l'ardoise.

« Héraut, lisez l'acte d'accusation ! » dit le Roi.

Sur ce, le Lapin Blanc fit retentir trois coups de trompette, puis déroula le parchemin et lut ce qui suit :

« La Reine de Cœur, elle avait fait des tartes,
Tout ça dans une journée d'été :
Le Valet de Cœur, il a volé ces tartes,
Et les a entièrement emportées ! »

« Pesez votre verdict », dit le Roi au jury ;

« Pas encore, pas encore ! » interrompit précipitamment le Lapin. « Il y a beaucoup d'éléments à venir avant d'en arriver là ! »

« Appelez le premier témoin », dit le Roi ; et le Lapin Blanc sonna trois fois de la trompette et cria : « Premier témoin ! »

Le premier témoin était le Chapelier. Il entra, une tasse de thé dans une main et une tartine beurrée dans l'autre. « Je vous demande pardon, Votre Majesté », commença-t-il, « si j'apporte cela ici : mais je n'avais pas tout à fait achevé mon thé lorsque j'ai été convoqué. »

« Vous auriez dû avoir fini », dit le Roi. « Quand aviez-vous commencé ? »

The Hatter looked at the March Hare who had followed him into the court, arm-in-arm with the Dormouse. "Fourteenth of March, I *think* it was," he said.

"Fifteenth," said the March Hare.

"Sixteenth," added the Dormouse.

"Write that down," the King said to the jury, and the jury eagerly wrote down all three dates on their slates, and then added them up, and reduced the answer to shillings and pence[1].

"Take off[2] your hat," the King said to the Hatter.

"It isn't mine," said the Hatter.

"*Stolen!*" the King exclaimed, turning to the jury, who instantly made a memorandum[3] of the fact.

"I keep them to sell," the Hatter added as an explanation. "I've none of my own. I'm a hatter."

Here the Queen put on her spectacles, and began staring hard at the Hatter, who turned pale and fidgeted[4].

"Give your evidence[5]," said the King; "and don't be nervous, or I'll have you executed on the spot."

This did not seem to encourage the witness at all: he kept shifting from one foot to the other, looking uneasily at the Queen, and in his confusion he bit a large piece out of his teacup instead of the bread-and-butter.

Just at this moment Alice felt a very curious sensation, which puzzled her a great deal until she made out what it was: she was beginning to grow larger again, and she thought at first she would get up and leave the court;

---

1. **shilling** : unité monétaire valant le vingtième de la livre sterling ; **pence**, unité monétaire valant le douzième du shilling jusqu'en 1971, et le centième depuis.

2. **to take off** : 1. (ici) *enlever, ôter* ; *défalquer*. 2. *s'élancer* ; *décoller*.

Le Chapelier regarda le Lièvre de Mars qui l'avait suivi dans la salle du tribunal, bras dessus bras dessous avec le Loir. « Le quatorze mars, il me *semble* », dit-il.

« Le quinze », dit le Lièvre de Mars.

« Le seize », ajouta le Loir.

« Notez cela », dit le Roi au jury ; et les jurés s'empressaient de noter ces trois dates sur leurs ardoises, les additionnant ensuite, et réduisant le résultat en shillings et en pence.

« Ôtez votre chapeau », dit le Roi au Chapelier.

« Ce n'est pas le mien ! » fit le Chapelier.

« *Volé* ! » s'exclama le Roi, se tournant vers le jury qui, aussitôt, prit note du fait.

« Je les ai en réserve pour les ventes », ajouta le Chapelier en guise d'explication. « Je n'en possède aucun à moi. Je suis Chapelier. »

Sur ce, la Reine chaussa ses lunettes, et se mit à fixer durement le Chapelier, qui pâlit et se mit à gigoter.

« Faites votre déposition », dit le Roi ; « et restez calme, sinon je vous fais exécuter sur-le-champ. »

Cela ne parut pas du tout encourager le témoin : il continua à danser d'un pied sur l'autre, jetant vers la Reine des regards inquiets, et dans son trouble mordit avec ses dents un gros morceau de sa tasse à thé, au lieu de sa tartine beurrée.

A ce moment précis, Alice éprouva une sensation très bizarre qui l'intrigua beaucoup jusqu'à ce qu'elle découvre ce dont il s'agissait : elle recommençait à grandir, et elle songea d'abord qu'elle allait se lever et quitter le tribunal ;

---

3. **memorandum** (pl. **-da, dums**) : 1. (ici) *note* ; **to take a memorandum,** *noter.* 2. *circulaire.* 3. **memorandum and articles of association,** *statuts.*

4. **to fidget** : 1. (ici) *gigoter, remuer continuellement, ne pas tenir en place* ; *s'agiter, se trémousser.* 2. **to fidget with sth.,** *tripoter qqch.*

5. **evidence** : 1. (ici) *déposition, témoignage* ; *preuve* ; *témoins* ; **the evidence for the defense,** *les témoins à décharge.* 2. *évidence.* 3. *signe, marque, trace.*

but on second thoughts she decided to remain where she was as long as there was room for her.

"I wish you wouldn't squeeze[1] so," said the Dormouse, who was sitting next to her. "I can hardly breathe."

"I ca'n't help it," said Alice very meekly: "I'm growing."

"You've no right to grow *here*," said the Dormouse. Don't talk nonsense," said Alice more boldly: "you know you're growing too."

"Yes, but *I* grow at a reasonable pace[2]," said the Dormouse: "not in that ridiculous fashion." And he got up very sulkily and crossed over to the other side of the court.

All this time the Queen had never left off staring at the Hatter, and, just as the Dormouse crossed the court, she said to one of the officers of the court, "Bring me the list of the singers in the last concert!" on which the wretched Hatter trembled so, that he shook off[3] both his shoes.

"Give your evidence," the King repeated angrily, "or I'll have you executed, whether you're nervous or not."

"I'm a poor man, your Majesty," the Hatter began, in a trembling voice, "and I hadn't begun my tea –not above a week or so– and what with the bread-and-butter getting so thin –and the twinkling[4] of the tea–"

"The twinkling of *what*?" said the King. "It *began* with the tea," the Hatter replied.

"Of course twinkling *begins* with a T!" said the King sharply. "Do you take me for a dunce[5]? Go on!"

---

1. **to squeeze** : 1. (ici) *presser, serrer* ; *étreindre*. 2. *faire entrer* **(into)** ou *sortir* **(out)** *de force*. 3. *exercer une pression* ; *pressurer*.

2. **pace** : 1. (ici) *allure, vitesse, train*. 2. *pas, foulée*.

3. **shook off** : **to shake (shook, shaken)** ; **to shake off**, *se défaire*

mais, réflexion faite, elle décida de rester où elle était tant qu'il y aurait de la place pour elle.

« Je voudrais bien que vous ne me serriez pas comme ça », dit le Loir, qui était assis à côté d'elle.

« Je n'y peux rien ! » dit Alice très humblement. « Je suis en train de grandir. »

« Vous n'êtes pas autorisée à grandir *ici* », fit le Loir.

« Ne dites pas d'absurdités », dit Alice plus hardiment vous savez bien que vous grandissez également. »

« Oui, mais *moi* je le fais à une allure raisonnable », dit le Loir : « pas de cette façon ridicule. » Et il se leva et s'en alla de l'autre côté de la salle.

Pendant tout ce temps, la Reine n'avait pas cessé de regarder fixement le Chapelier, et, au moment où le Loir traversait la salle, elle dit à l'un des huissiers du tribunal : « Apportez-moi la liste de ceux qui ont chanté pendant le dernier concert ! », sur quoi le malheureux Chapelier trembla tellement qu'il en perdit ses deux chaussures.

« Faites votre déposition », répéta le Roi avec colère, « ou je vous fais exécuter, que vous ayez le trac ou non. »

« Je suis un pauvre homme, Votre Majesté », commença d'une voix tremblante le Chapelier, « et je n'avais pas commencé mon thé... il n'y a pas plus d'une semaine ou à peu près... et avec les tartines de beurre qui s'amincissent tellement... et en plus les trépidations du thé...

« Les trépidations de *quoi* ? » dit le Roi.

« Ça a *commencé* avec un T », répliqua le Chapelier.

« Bien sûr, trépidation *commence* par un T ! », dit le Roi sèchement.

« Est-ce que vous me prenez pour un cancre ? Continuez ! »

---

de ; jeu de mots avec **to shake in one's shoes** : *trembler de peur.*

4. **twinkling** : m. à m. *scintillement* (traduction éloignée avec *trépidation* pour garder le jeu de mot **T... tea**).

5. **dunce** : *cancre, âne* ; **to be a dunce at maths**, *être nul en maths* ; **dunce's cap**, *bonnet d'âne.*

"I'm a poor man," the Hatter went on, "and most things twinkled after that –only the March Hare said–

"I didn't!" the March Hare interrupted in a great hurry.

"You did!" said the Hatter.

"I deny[1] it!" said the March Hare.

"He denies it," said the King: "leave out that part."

"Well, at any rate, the Dormouse said –" the Hatter went on, looking anxiously round to see if he would deny it too: but the Dormouse denied nothing, being fast asleep.

"After that," continued the Hatter, "I cut some more bread-and-butter–"

"But what did the Dormouse say?" one of the jury asked.

"That I ca'n't remember," said the Hatter.

"You *must* remember," remarked the King, "or I'll have you executed."

The miserable Hatter dropped his teacup and bread-and-butter, and went down on one knee. "I'm a poor man, your Majesty," he began.

"You're a *very* poor *speaker*[2]," said the King.

Here one of the guinea-pigs cheered[3], and was immediately suppressed[4] by the officers of the court. (As that is rather a hard word, I will just explain to you how it was done. They had a large canvas[5] bag, which tied up at the mouth with strings: into this they slipped the guinea-pig, head first, and then sat upon it.)

"I'm glad I've seen that done," thought Alice.

---

1. **to deny** : 1. (ici) *démentir, nier* ; **there's no denying that**, *on ne saurait nier que*. 2. **to deny do sth.**, *refuser qqch. à qn.* ; **he was denied access to**, *on lui a refusé l'accès à*. 3. *renier*.

2. **speaker** : 1. (ici) *orateur* ; *conférencier*. 2. **the Speaker** (of the House), le *Speaker* (Président de la Chambre des Communes (G. B.), Chambre des Représentants (U.S.) ; ▲ *un speaker*, **an**

« Je suis un pauvre homme », poursuivit le Chapelier, « et la plupart des choses, après cela, ont trépidé… seulement le Lièvre de Mars a dit… »

« Je n'ai rien dit ! » se hâta d'interrompre le Lièvre de Mars.

« Si ! » dit le Chapelier.

« Je le démens ! » fit le Lièvre de Mars.

« Il le dément », dit le Roi, « laissez tomber cette histoire. »

« Eh bien, en tout cas, le Loir a dit… », poursuivit le Chapelier, regardant autour de lui avec inquiétude pour voir si celui-ci allait également démentir ; mais le Loir, profondément endormi, ne démentit rien.

« Après cela », continua le Chapelier, « j'ai coupé encore quelques tartines beurrées… »

« Mais qu'a dit le Loir ? » demanda l'un des jurés.

« Ça, je n'arrive pas à m'en souvenir », dit le Chapelier.

« Il *faut* vous en souvenir », fit observer le Roi, « sinon je vous fais exécuter. »

Le malheureux Chapelier laissa tomber sa tasse de thé et son pain beurré et s'agenouilla. « Je suis un pauvre homme, Votre Majesté », commença-t-il.

« Vous êtes un très piètre orateur », dit le Roi.

A ces mots, un des cochons d'Inde applaudit et fut immédiatement étouffé par les huissiers. (Comme ce mot est un peu fort, je vais vous expliquer simplement comment cela fut fait. Ils avaient un vaste sac de toile, dont on fermait l'ouverture avec des ficelles : tête la première, ils y glissèrent le cochon d'Inde, puis ils s'assirent sur le sac.)

« Je suis contente d'avoir vu faire ça », pensa Alice.

---

announcer ; newscaster.

3. **to cheer** : 1. (ici) *applaudir, acclamer.* 2. **to cheer (up)**, *réconforter, relever le moral, rendre courage* ; **cheers**, *bravos, vivats.*
4. **to suppress** : 1. (ici) *étouffer* (scandale, toux) ; *réprimer, contenir.* 2. *supprimer, faire disparaître.* 3. *cacher, taire.*
5. **canvas** : 1. (ici) *toile* (à peindre, voile). 2. *tableau.*

"I've so often read in the newspapers, at the end of trials, there was some attempt at applause, which was immediately suppressed by the officers of the court,' and I never understood what it meant till now."

"If that's all you know about it, you may stand down[1]," continued the King.

"I ca'n't go no lower," said the Hatter: "I'm on the floor, as it is."

"Then you may *sit* down," the King replied.

Here the other guinea-pig cheered, and was suppressed.

"Come, that finishes the guinea-pigs!" thought Alice. "Now we shall get on better."

"I'd rather finish my tea," said the Hatter, with an anxious look at the Queen, who was reading the list of singers.

"You may go," said the King; and the Hatter hurriedly left the court, without even waiting to put his shoes on.

" —and just take his head off outside," the Queen added to one of the officers; but the Hatter was out of sight before the officer could get to the door.

"Call the next witness!" said the King.

The next witness was the Duchess's cook. She carried the pepper-box in her hand, and Alice guessed who it was, even before she got into the court, by the way the people near the door began sneezing all at once.

"Give your evidence," said the King.

"Sha'n't[2]," said the cook.

---

1. **to stand down** : 1. (ici) vocabulaire juridique signifiant *quitter la barre*. 2. *retirer sa candidature, se désister* (*en faveur de*, **in favour of**).

2. **sha'n't = shan't.**

« J'ai souvent lu dans les journaux, à la fin des jugements : "Il y eu quelques tentatives d'applaudissement, immédiatement étouffées par les huissiers du tribunal", et, jusqu'à aujourd'hui, je ne comprenais jamais ce que cela voulait dire. »

« Si c'est tout ce que vous savez, vous pouvez vous retirer », poursuivit le Roi.

« Je ne peux me retirer plus bas », dit le Chapelier. « Je suis sur le plancher, tel quel. »

« Alors, vous pouvez vous asseoir », répliqua le Roi.

A ces mots, l'autre cochon d'Inde applaudit et fut étouffé.

« Allons, en voilà terminé avec les cochons d'Inde ! » pensa Alice. « Maintenant, cela va aller mieux. »

« Je préférerais finir mon thé », dit le Chapelier avec un regard inquiet vers la Reine qui lisait la liste des chanteurs.

« Vous pouvez vous en aller », dit le Roi ; et le Chapelier quitta précipitamment le tribunal, sans même prendre le temps de remettre ses chaussures.

«...et coupez-lui la tête dehors », ajouta la Reine à l'un des huissiers ; mais, avant que ce dernier ait pu atteindre la porte, le Chapelier était hors de vue.

« Appelez le témoin suivant ! » dit le Roi.

Le témoin suivant était la cuisinière de la Duchesse. Elle portait sa poivrière à la main, et Alice avait deviné qui c'était, avant même qu'elle eût fait son entrée dans le tribunal, à la façon dont les gens près de la porte se mirent à éternuer tous à la fois.

« Faites votre déposition ! » dit le Roi.

« Non ! » répondit la cuisinière.

The King looked anxiously at the White Rabbit, who said in a low voice, "Your Majesty must cross-examine[1] this witness."

"Well, if I must, I must," the King said with a melancholy air, and, after folding his arms and frowning at the cook till his eyes were nearly out of sight, he said, in a deep voice, "What are tarts made of?"

"Pepper, mostly," said the cook.

"Treacle," said a sleepy voice behind her.

"Collar[2] that Dormouse," the Queen shrieked out. "Behead that Dormouse! Turn that Dormouse out[3] of court! Suppress him! Pinch him! Off with his whiskers!"

For some minutes the whole court was in confusion, getting the Dormouse turned out, and, by the time they had settled down again, the cook had disappeared.

"Never mind!" said the King, with an air of great relief[4]. "Call the next witness." And, he added in an undertone to the Queen, "Really, my dear, you must cross-examine the next witness. It quite makes my forehead ache[5]!"

Alice watched the White Rabbit as he fumbled[6] over the list, feeling very curious to see what the next witness would be like, "–for they haven't got much evidence yet," she said to herself. Imagine her surprise, when the White Rabbit read out, at the top of his shrill little voice, the name "Alice!"

---

1. **to cross-examine** : *interroger contradictoirement, questionner de façon serrée* ; **cross-examination**, *contre-interrogatoire* ; ❑ **cross** (adj.) *en colère, de mauvaise humeur* ; **to look very cross**, *avoir l'air très fâché*. Cf. p. 62, 4.

2. **to collar** : *colleter, prendre au collet* ; *empoigner, saisir, mettre la main sur.*

3. **to turn out** : 1. (ici) *mettre dehors, flanquer à la porte, chasser.*

Le Roi regarda avec inquiétude le Lapin Blanc, qui dit à voix basse : « Votre Majesté doit faire subir un contre-interrogatoire à *ce* témoin. »

« Eh bien, s'il le faut, il le faut », dit le Roi, d'un air mélancolique ; et, après avoir croisé les bras et regardé la cuisinière en fronçant les sourcils au point de faire presque disparaître ses yeux, il demanda d'une voix profonde : « De quoi les tartes sont-elles faites ? »

« De poivre, principalement », dit la cuisinière.

« De mélasse », fit une voix endormie derrière elle.

« Prenez ce Loir au collet ! » hurla la Reine. « Décapitez ce Loir ! Expulsez-le de ce tribunal ! Etouffez-le ! Pincez-le ! Qu'on lui coupe les moustaches ! »

Le temps d'expulser le Loir, la confusion régna sur le tribunal pendant quelques minutes et, quand ils se furent tous réinstallés, la cuisinière avait disparu.

« Peu importe ! » dit le Roi, l'air particulièrement soulagé. « Appelez le témoin suivant. » Et il ajouta à voix basse à l'intention de la Reine : « Vraiment, ma chère, vous devez faire subir un contre-interrogatoire au témoin suivant. Cela me fait trop mal à la tête ! »

Alice regarda le Lapin Blanc qui se perdait dans sa liste, très curieuse de voir à quoi ressemblerait le témoin suivant, « ... car ils n'ont pas encore beaucoup de témoignages », se dit-elle. Imaginez sa surprise, quand le Lapin Blanc au plus fort de sa petite voix aiguë cria tout haut : « Alice ! »

---

2. *fabriquer*. 3. *sortir, paraître en public*. 4. **to turn out well,** *bien tourner, réussir* ; ❑ **well turned out,** *soigné*.

4. **relief** : 1. (ici) *soulagement, allègement*. 2. *aide, assistance*. 3. *relief, modelé*.

5. **to ache** : *faire mal* ; **my head aches,** *j'ai mal à la tête* ; ❑ **headache,** *mal de tête*, **toothache,** *mal de dents*.

6. **to fumble** : *manipuler maladroitement* ; *fouiller, farfouiller* ; **to fumble for words,** *chercher ses mots* ; **to fumble for,** *chercher* (qqch.) *à tâtons*.

Le R[illegible] avez [illegible] la [illegible] que [illegible] vous [illegible] Votre Majesté [illegible]

« En outre, si le Roi [illegible] l'équilibre [illegible] [illegible] les [illegible] en rompant les [illegible] de faire presque [illegible] [illegible] dit [illegible]

« Le pauvre [illegible] la cause [illegible]

« Le malheur [illegible] de son [illegible] elle.

« [illegible] le [illegible] »

[illegible] »

Le temps [illegible] la [illegible] quelques [illegible] quand ils [illegible] [illegible] la [illegible]

« [illegible] du Roi, [illegible] [illegible] le [illegible] Il [illegible] la [illegible] Vous [illegible] [illegible]

[illegible]

La [illegible] que [illegible] de [illegible] [illegible] le [illegible] [illegible] que [illegible] [illegible]

[illegible]

[illegible]

CHAPITRE XII

Alice's evidence

Le témoignage d'Alice

"Here!" cried Alice, quite forgetting in the flurry[1] of the moment how large she had grown in the last few minutes, and she jumped up in such a hurry that she tipped[2] over the jury-box with the edge of her skirt, upsetting all the jurymen on to the heads of the crowd below and there they lay sprawling[3] about, reminding her very much of a globe of gold-fish she had accidentally upset the week before.

"Oh, I *beg* your pardon!" she exclaimed in a tone of great dismay[4], and began picking them up again as quickly as she could, for the accident of the gold-fish kept running in her head, and she had a vague sort of idea that they must be collected at once and put back into the jury-box, or they would die.

"The trial cannot proceed[5]," said the King in a very grave voice, "until all the jurymen are back in their proper places –*all*," he repeated with great emphasis[6], looking hard at Alice as he said so.

Alice looked at the jury-box, and saw that, in her haste, she had put the Lizard in head downwards, and the poor little thing was waving its tail about in a melancholy way, being quite unable to move. She soon got it out again, and put it right; "not that it signifies much," she said to herself; "I should think it would be *quite* as much use in the trial one way up as the other."

---

1. **to flurry** : 1. (ici) *agitation, émoi, bouleversement.* 2. *averse, brise* ; **a flurry of protest,** *un concert de protestations.*
2. **to tip over** : 1. (ici) *renverser, chavirer* ; *rabattre.* 2. *effleurer.* 3. *donner un pourboire.* 4. *tuyauter.*
3. **to sprawl** : *s'étendre, s'étaler les quatre fers en l'air.*
4. **dismay** : *consternation, atterrement, épouvante.*

« Présente ! » cria Alice, oubliant tout à fait, dans l'agitation du moment, combien elle avait grandi au cours des quelques dernières minutes, et elle se dressa d'un bond de façon si précipitée qu'avec le bord de sa jupe elle renversa le banc des jurés, culbutant ce dernier sur la tête des gens qui se trouvaient en dessous, et là ils gigotaient, les pattes en l'air, ce qui lui rappela le bocal de poissons rouges qu'elle avait accidentellement renversé la semaine précédente.

« Oh, je vous *demande* pardon ! » s'exclama-t-elle, d'un ton consterné, et elle se mit à les ramasser aussi vite que possible, car l'accident des poissons rouges restait présent à son esprit et elle avait vaguement idée qu'il lui fallait les ramasser tout de suite et les replacer dans leur banc, faute de quoi ils allaient mourir.

« L'audience est suspendue », dit le Roi d'une voix grave, « jusqu'à ce que tous les membres du jury aient regagné leur propre place – *tous*... », répéta-t-il avec insistance, fixant Alice durement.

Alice regarda le banc des jurés et constata que, dans sa précipitation, elle avait remis le Lézard la tête en bas, et que la pauvre petite créature remuait mélancoliquement la queue, tout à fait incapable de se rétablir. Elle le retourna aussitôt et le réinstalla convenablement ; « non que cela ait beaucoup d'importance », se dit-elle ; « car je dirais qu'il n'est ni *plus* ni moins utile au tribunal dans un sens ou dans un autre. »

---

5. **to proceed** : 1. (ici) *(se) continuer, (se) poursuivre.* 2. *agir* ; **how shall we proceed?**, *comment nous y prendrons-nous* ? 3. *se mettre à.* 4. *provenir.*
6. **emphasis** : 1. (ici) *insistance.* 2. *force, accentuation* ; **to emphasize**, *accentuer, appuyer, souligner, mettre en valeur, faire ressortir.*

As soon as the jury had a little recovered[1] from the shock of being upset[2], and their slates and pencils had been found and handed back to them, they set to work very diligently to write out a history of the accident, all except the Lizard, who seemed too much overcome[3] to do anything but sit with its mouth open, gazing up into the roof of the court.

"What do you know about this business?" the King said to Alice.

"Nothing," said Alice.

"Nothing *whatever*[4]?" persisted the King.

"Nothing whatever," said Alice.

"That's very important," the King said, turning to the jury. They were just beginning to write this down on their slates, when the White Rabbit interrupted: "*Un*important, your Majesty means, of course", he said in a very respectful tone, but frowning and making faces[5] at him as he spoke.

"Unimportant, of course, I meant," the King hastily said, and went on to himself in an undertone[6], "important –unimportant –unimportant –important–"as if he were trying which word sounded best.

Some of the jury wrote it down "important," and some "unimportant." Alice could see this, as she was near enough to look over their slates; "but it doesn't matter a bit," she thought to herself.

---

1. **to recover** : 1. (ici) *se remettre, se rétablir* ; *se ressaisir, guérir.* 2. *recouvrer, rentrer en possession.*
2. **upset** : 1. (ici) *renversé, chaviré.* 2. *bouleversé* ; *ému* ; *dérangé.*
3. **to be overcome with (on by)** : *être accablé, paralysé, fortement ému, gagné par* (sommeil), *succomber à* ; ❑ **to overcome,** *triompher, vaincre, venir à bout de* ; *dominer, maîtriser, surmonter.*
4. **nothing whatever** : *absolument rien, rien de rien* ;

Dès que les jurés se furent remis du choc d'avoir été culbutés sens dessus dessous,et que, une fois retrouvés, leurs ardoises et leurs crayons leur eurent été rendus, ils entreprirent avec beaucoup de diligence d'écrire l'histoire de l'accident, tous sauf le Lézard, qui paraissait trop fortement ému pour faire quoi que ce fût, sinon rester assis, bouche bée, en regardant fixement le plafond de la salle.

« Que savez-vous de cette affaire ? » demanda le Roi à Alice.

« Rien », répondit Alice.

« *Absolument* rien ? » insista le Roi.

« Absolument rien », fit Alice.

« C'est très conséquent », dit le Roi en se tournant vers le jury. Ils s'apprêtaient à noter cela sur leurs ardoises lorsque le Lapin Blanc interrompit : « Votre Majesté veut dire *in*conséquent, bien sûr », dit-il d'un ton plein de respect, mais en lui faisant des grimaces, les sourcils froncés.

« Inconséquent, bien sûr, ai-je voulu dire », s'empressa de dire le Roi et, à mi-voix, il poursuivit pour lui-même : « conséquent ... inconséquent ... conséquent ... inconséquent ... » comme s'il essayait de voir quel mot sonnait le mieux.

Certains jurés écrivirent « conséquent » et d'autres « inconséquent ». Alice pouvait voir cela car elle était assez près pour jeter un coup d'œil sur leurs ardoises ; « mais cela n'a strictement aucune importance », estima-t-elle.

❑ **whatever**, 1. *tout ce qui, tout ce que.* 2. *quelque... qui / que* ; **he has no chance whatever**, *il n'a pas la moindre chance* ; **has he any chance whatever?** *a-t-il une chance quelconque ?*

5. **to make faces** : *faire des grimaces* ; ❑ **to save (one's) face**, *sauver la face* ; **to lose face**, *perdre contenance* ; **to have the face to**, *avoir le culot de* ; ❑ **face**, 1. *figure, visage.* 2. *mine, physionomie.* 3. *expression, aspect.* 4. *surface* ; *recto.*

6. **in an undertone** : *à mi-voix, à voix basse.*

At this moment the King, who had been for some time busily writing in his note-book, called out "Silence!" and read out from his book, "Rule Forty-two. *All persons more than a mile high to leave the court.*"

Everybody looked at Alice.

"I'*m* not a mile high," said Alice.

"You are," said the King.

"Nearly two miles high," added the Queen.

"Well, I sha'n't go, at any rate[1]," said Alice; "besides, that's not a regular rule: you invented it just now."

"It's the oldest rule in the book," said the King.

"Then it ought to be Number One," said Alice.

The King turned pale, and shut his note-book hastily. "Consider your verdict[2]," he said to the jury, in a low trembling voice.

"There's more evidence to come yet, please your Majesty," said the White Rabbit, jumping up in a great hurry: "this paper has just been picked up."

"What's in it?" said the Queen.

"I haven't opened it yet," said the White Rabbit, "but it seems to be a letter, written by the prisoner to–to somebody."

"It must have been that," said the King, "unless it was written to nobody, which isn't usual, you know."

"Who is it directed[3] to?" said one of the jurymen.

"It isn't directed at all," said the White Rabbit: "in fact, there's nothing written on the *outside*."

---

1. **at any rate** : *de toute façon* ; ❑ jeu de mots sur **rate** au sens d'*allure, vitesse* ; **at that rate,** *à ce train.*

2. **verdict** : 1. *verdict, réponse du jury* ; **to bring in a verdict of not guilty**, *craindre un verdict d'acquittement, déclarer non*

A ce moment le Roi, qui depuis un moment était fort occupé à prendre des notes dans son calepin, s'écria : « Silence ! » et lut à haute voix dans son registre : « Règle Quarante-Deux – *Toute personne mesurant plus d'un kilomètre six cents a l'obligation de quitter le tribunal*.»

Tout les regards se portèrent sur Alice.

« Je ne mesure pas mille six cents mètres », dit Alice.

« Mais si », dit le Roi.

« Presque plus de trois kilomètres », ajouta la Reine.

« Quoi qu'il en soit, je ne partirai pas », dit Alice ; « de plus, ce n'est pas une règle régulière, vous venez de l'inventer. »

« C'est la plus vieille règle du registre », dit le Roi.

« Alors, cela devrait être la Règle Numéro Un », dit Alice.

Le Roi pâlit et s'empressa de fermer son calepin.

« Préparez votre verdict », dit-il au jury, la voix basse et tremblante.

« Il y a d'autres témoignages à venir ! si cela agrée à Votre Majesté », dit le Lapin Blanc, en se levant d'un bond avec précipitation. « On vient de trouver ce document. »

« Que contient-il ? » fit la Reine.

« Je ne l'ai pas encore ouvert », dit le Lapin Blanc ; « mais cela semble être une lettre écrite par le prisonnier à... à quelqu'un. »

« Ça doit être cela », dit le Roi, « à moins qu'elle n'ait été écrite à personne, ce qui n'est pas habituel, vous savez. »

« A qui est-elle adressée ? » dit un des jurés.

« Elle n'est pas adressée du tout », dit le Lapin Blanc ; « en fait, il n'y a rien d'écrit à l'*extérieur*. »

---

coupable. 2. *jugement, avis, opinion*.

3. **to direct** : 1. (ici) *adresser* (lettre, observation). 2. *gouverner, conduire, diriger, mener, gérer*. 3. *indiquer* (*qqch. à qn.*, **sth to s.o.**). 4. *ordonner*.

He unfolded the paper as he spoke, and added, "It isn't a letter, after all: it's a set[1] of verses."

"Are they in the prisoner's handwriting[2]?" asked another of the jurymen;

"No, they're not," said the White Rabbit, "and that's the queerest thing about it." (The jury all looked puzzled.)

"He must have imitated somebody else's hand[3]," said the King. (The jury all brightened up[4] again.)

"Please, your Majesty," said the Knave, "I didn't write it, and they ca'n't prove I did: there's no name signed at the end."

"If you didn't sign it," said the King, "that only makes the matter worse. You *must* have meant some mischief[5], or else you'd have signed your name like an honest man."

There was a general clapping of hands at this: it was the first really clever thing the King had said that day.

"That *proves* his guilt," said the Queen.

"It doesn't prove anything of the sort!" said Alice. "Why, you don't even know what they're about!"

"Read them," said the King.

The White Rabbit put on his spectacles. "Where shall I begin, please your Majesty? he asked.

"Begin at the beginning," the King said, very gravely, "and go on till you come to the end: then stop."

---

1. **set** : 1. (ici) *ensemble, assortiment, série, suite, collection.* 2 (math.) *ensemble.* 3. *appareil.* 4. *groupe, bande* ; *cercle.* 5. *décor, plateau, scène.* 6. *mise en plis.* 7. *position, attitude.* 8. (tennis) *set.*
2. **handwriting** : *écriture.*
3. **hand** : 1. *main* ; **at hand**, *sous la main, à portée.* 2. (ici)

Il déplia le papier tout en parlant et ajouta : « En fin de compte, ce n'est pas une lettre, c'est une suite de vers. »

« Sont-ils écrits de la main du prisonnier ? » demanda un autre juré.

« Non », dit le Lapin Blanc, « et c'est ce qu'il y a de plus bizarre dans tout cela. (Le jury parut perplexe.)

« Il a dû imiter l'écriture de quelqu'un d'autre », dit le Roi. (Le jury se rasséréna.)

« Plaise à Votre Majesté », dit le Valet, « je ne les ai pas écrits, et on ne peut prouver que je l'ai fait : il n'y a pas de signature à la fin. »

« Si vous n'avez pas signé ce papier », dit le Roi, « cela ne fait que rendre l'affaire plus grave. Vous deviez méditer quelque mauvais coup, sinon vous l'auriez signé comme tout honnête homme. »

Il y eut, à ces mots, un applaudissement général : c'était la première chose intelligente énoncée par le Roi ce jour-là.

« Cela ne prouve rien de cette sorte ! » dit Alice. « Allons donc, vous ne savez même pas de quoi ça parle. »

« Lisez-les », dit le Roi.

Le Lapin Blanc mit ses lunettes. « Plaise à Votre Majesté, par où dois-je commencer ? »

« Commencez au commencement », dit le Roi avec gravité, « et continuez jusqu'à ce que vous arriviez à la fin, puis arrêtez. »

écriture. 3. *ouvrier, manœuvre*. 4. ❑ (cartes) **to win the hand**, *gagner la main*.

4. **to brighten up** : 1. (ici) *se dérider, se rasséréner, s'épanouir, s'animer*. 2. *faire briller* ; *dérider*.

5. **mischief** : 1. (ici) *mauvais coup, dégât, dommage, mal, tort* ; **to make mischief**, *semer le trouble*. 2. *malice, espièglerie* ; **to be full of mischief**, *être malin comme un singe*.

There was a dead silence in the court, whilst[1] the White Rabbit read out these verses[2]:

"They told me you had been to her,
And mentioned me to him:
She gave me a good character,
But said I could not swim.

He sent them word I had not gone,
(We know it to be true):
If she should push the matter on,
What would become of you ,

I gave her one, they gave him two,
You gave us three or more;
They all returned from him to you,
Though they were mine before.

If I or she should chance to be
Involved in this affair,
He trusts to you to set them free,
Exactly as we were;

My notion was that you had been
(Before she had this fit))
An obstacle that came between
Him, and ourselves, and it.

Don't let him know she liked them best,
For this must ever be
A secret, kept from all the rest,
Between yourself and me."

Il y eut un silence de mort dans le tribunal, tandis que le Lapin Blanc lisait ces vers à haute voix :

« Ils m'ont dit qu'à elle vous aviez été
Et que de moi vous lui fîtes mention :
D'un bon caractère par elle je fus crédité,
Mais dit que je ne peux me livrer à la natation.

Il leur a écrit que je ne m'en étais pas allé
(Nous savons que cela est vrai) :
Si cette affaire elle voulait faire avancer,
De vous qu'est-ce qu'il adviendrait ?

Je lui en donnai une, à lui deux ils ont donné,
Vous nous en avez donné trois ;
De lui à vous toutes sont retournées,
Bien qu'elles fussent miennes autrefois.

Si moi ou elle d'aventure étions
Dans cette affaire impliqués,
Il espère que par vous libérés ils seront,
Exactement comme nous l'avons été.

Mon idée est que nous aurions été
(Avant qu'elle ne fût prise de cet accès)
Un obstacle qui s'est interposé
Entre lui, nous et ce méfait.

Ne lui faites pas savoir qu'elle les préférait
Car cela toujours rester doit
Un secret ignoré de tous à jamais
Entre vous-même et moi.

---

1. **whilst** : archaïsme (poétique) pour **while**, *tandis que.*
2. Ces vers sont la version complètement revue d'un poème de Carroll publié en 1855, intitulé **"She's All my Fancy Painted Him"**.

"That's the most important piece of evidence we've heard yet," said the King, rubbing[1] his hands; "so now let the jury–"

"If any one of them can explain it," said Alice, (she had grown so large in the last few minutes that she wasn't a bit afraid of interrupting him), "I'll give him sixpence[2]. *I* don't believe there's an atom of meaning in it."

The jury all wrote down on their slates, "*She* doesn't believe there's an atom of meaning in it," but none of them attempted to explain the paper.

"If there's no meaning in it," said the King, "that saves[3] a world of trouble, you know, as we needn't try to find any. And yet I don't know," he went on, spreading out the verses on his knee, and looking at them with one eye; "I seem to see some meaning in them, after all, ' *–said I could not swim–*' you ca'n't swim, can you?" he added, turning to the Knave.

The Knave shook his head sadly. "Do I look like it?" he said. (Which he certainly did *not*, being made entirely of cardboard[4].)

"All right, so far," said the King; and he went on muttering[5] over the verses to himself: "'We know it to be true–' that's the jury, of course– *If she should push the matter on*" –That must be the Queen–" "*What would become of you?*" –What indeed!– '*I gave her one, they gave him two–*' why, that must be what he did with the tarts, you know–"

"But it goes on, '*they all returned from him to you,*'" said Alice.

---

1. **to rub** : *(se) frotter* (**one's hand**, *les mains*) ; *frictionner* ; **to rub sth. dry**, *sécher qqch. en le frottant.*
2. **sixpence** : *un demi-shilling* (cf. p. 246,1).
3. **to save** : 1. (ici) *épargner* ; **to save time**, *gagner du temps* ;

« C'est la pièce à conviction la plus importante que nous ayons entendue jusqu'ici », dit le Roi, en se frottant les mains ; « donc, maintenant, que le jury ... »

« Si l'un quelconque d'entre eux peut expliquer ça », dit Alice (elle avait tellement grandi au cours de ces dernières quelques minutes, qu'interrompre le Roi ne l'effrayait nullement), « je lui donnerai une pièce de six pence. Je ne crois pas qu'il y ait un atome de bon sens là-dedans. »

Les jurés inscrivirent tous sur leurs ardoises : « *Elle* ne croit pas qu'il y ait un atome de bon sens là-dedans », mais aucun d'entre eux ne tenta d'expliquer le document.

« S'il n'y a pas de signification là-dedans », dit le Roi, « cela nous épargne une infinité de soucis, vous savez, car ainsi nous n'avons plus besoin d'essayer d'en trouver une. Et pourtant, je ne sais pas », poursuivit-il, en étalant les vers sur ses genoux et en les regardant d'un œil, « "*dit que je ne peux me livrer à la natation...*" etc. » et. Vous ne savez pas nager, n'est-ce pas ? » ajouta-t-il en se tournant vers le Valet.

Le Valet hocha tristement la tête. « En ai-je l'air ? » dit-il. (Il n'en avait certainement pas l'air, étant entièrement fait de carton.)

« Jusqu'ici, c'est très bien », dit le Roi, et il continua en marmonnant les vers : « "Nous savons que cela est vrai... " ça, c'est le jury, bien sûr ... " *si cette affaire elle voulait faire avancer...*" Cela doit être la Reine... "*de vous qu'est-ce qu'il adviendrait ?*"... Quoi donc, ma foi !... ? "*Je lui en donnai une, à lui deux ils ont données...* " eh bien, c'est ce qu'il a du faire avec les tartes, vous savez ... »

« Mais cela continue avec : "*De lui à vous toutes sont retournées*" », dit Alice.

économiser, mettre de côté ; *garder*. 2. *sauver, délivrer* ; **God Save the Queen**, *que Dieu sauve la Reine.*

4. **cardboard** : *carton* ; **fine cardboard**, *bristol.*

5. **to mutter** : *marmonner* ; *murmurer* ; *grommeler* ; **mutter**, *marmonnement.*

"Why, there they are!" said the King triumphantly, pointing to the tarts on the table. "Nothing can be clearer than that. Then again– *'before she had this fit*[1]*'* you never had *fits*, my dear, I think?" he said to the Queen.

"Never!" said the Queen, furiously, throwing an inkstand at the Lizard as she spoke. (The unfortunate little Bill had left off writing on his slate with one finger, as he found it made no mark; but he now hastily began again, using the ink, that was trickling down his face, as long as it lasted[2].)

"Then the words don't fit you[3]", said the King, looking round the court with a smile. There was a dead silence.

"It's a pun!" the King added in an angry tone, and everybody laughed. "Let the jury consider their verdict," the King said, for about the twentieth time that day.

"No, no!" said the Queen. "Sentence first–verdict afterwards."

"Stuff and nonsense!" said Alice loudly. "The idea of having the sentence first!"

"Hold your tongue!" said the Queen, turning purple.

"I wo'n't !" said Alice.

"Off with her head!" the Queen shouted at the top of her voice. Nobody moved.

"Who cares for *you* , said Alice (she had grown to her full size by this time). "You're nothing but a pack of cards!"

---

1. **fit** : ici (nom) *accès, attaque* ; *quinte* (**of coughing**, de toux) ; *mouvement* (*de colère*, **of temper**) ; *élan.*

2. **as long as it lasted** : m. à m. *aussi longtemps qu'elle dura* ; **to last**, *durer, tenir.*

3. **to fit** : (verbe) ici : **the words don't fit you**, m. à m. l*es mots ne vous vont pas* ; jeu de mots donc entre **fit** (vu en note 1) et **to fit**, *aller à, être à la taille, convenir* ; *s'ajuster, s'adapter.*

« Eh bien, les voilà ! » dit le Roi triomphalement, montrant du doigt les tartes sur la table. « Rien ne saurait être plus clair que cela. » Puis encore... « "*Avant qu'elle ne fût prise de cet accès...*" vous n'avez jamais eu d'*accès*, je pense, ma chère ? » dit-il à la Reine.

« Jamais ! » fit la Reine, furieuse, lançant tout en parlant un encrier sur le Lézard. (Le malheureux petit Bill avait cessé d'écrire avec un doigt sur son ardoise, s'étant aperçu qu'il n'y laissait aucune trace ; mais, maintenant, il recommença précipitamment, utilisant jusqu'à la dernière goutte d'encre qui dégoulinait sur son visage.

« Alors, vous n'avez pas d'*accès* à ces mots », dit le Roi, son regard en souriant sur l'assemblée du tribunal. Un silence de mort s'ensuivit.

« C'est un jeu de mots ! » ajouta le Roi sur un ton de colère, et tout le monde se mit à rire.

« Que le jury prépare son verdict », dit le Roi, pour à peu près la vingtième fois de la journée.

« Non, non ! » fit la Reine. « La sentence d'abord, le verdict ensuite. »

« Balivernes et absurdités ! » dit Alice à haute voix. « Cette idée d'avoir la sentence avant le jugement ! »

« Faites silence ! » fit la Reine, le visage congestionné.

« Que non pas ! » dit Alice.

« Qu'on lui tranche la tête ! » hurla la Reine du plus fort qu'elle put. Personne ne bougea. « Qui se soucie de *vous* ? » dit Alice. (Elle avait maintenant retrouvé sa taille normale.) « Vous n'êtes rien d'autre qu'un jeu de cartes ! »

At this the whole pack rose[1] up into the air, and came flying down[2] upon her: she gave a little scream, half of fright and half of anger, and tried to beat them off[3], and found herself lying on the bank, with her head in the lap[4] of her sister, who was gently brushing away some dead leaves that had fluttered[5] down from the trees upon her face.

"Wake up, Alice dear!" said her sister. "Why, what a long sleep you've had!"

"Oh, I've had such a curious dream!" said Alice. And she told her sister, as well as she could remember them, all these strange Adventures of hers that you have just been reading about; and when she had finished, her sister kissed her, and said, "It *was* a curious dream, dear, certainly: but now run in to your tea; it's getting late."

So Alice got up and ran off, thinking while she ran, as well she might, what a wonderful dream it had been.

★☆★

---

1. **to rise (rose, risen)** : *s'élever, se lever, s'envoler* ; *monter.*
2. **flying down upon her** : m. à m. *descendant sur elle en volant* (cf. p. 24, 4.)
3. **to bast off** : *chasser, repousser* ; (sport) *distancer.*
4. **lap** : 1. (ici) *genoux* ; *giron.* 2. *basque, pan* ; **ear-lap**, *lobe de l'oreille.*
5. **to flutter** : 1. (ici) *voltiger.* 2. *battre des ailes* ; *flotter* (dans le vent) ; *palpiter.* 3. *frémir* (de joie).

A ces mots, le paquet de cartes tout entier s'éleva en l'air et retomba en s'éparpillant sur elle ; elle poussa un petit cri, moitié de frayeur, moitié de colère, essayant de les repousser, et se retrouva allongée sur la berge, la tête sur les genoux de sa sœur, qui enlevait délicatement quelques feuilles mortes tombées en voltigeant des arbres sur son visage.

« Réveille-toi, Alice chérie ! » dit sa sœur. « Quel long somme tu as fait ! »

« Oh, j'ai fait un si curieux rêve ! » dit Alice, et elle raconta à sa sœur, du mieux qu'elle put se les rappeler, toutes ces étranges Aventures dont elle avait été l'héroïne et que vous venez de lire, et quand elle eut fini, sa sœur l'embrassa et dit : « C'*était* certainement un curieux rêve, chérie, mais maintenant, rentre vite prendre ton thé, il se fait tard. »

Aussi Alice se leva et partit en courant tout en songeant du mieux qu'elle le pouvait, dans sa course, au merveilleux rêve que cela avait été.

But her sister sat still just as she left her, leaning her head on her hand, watching the setting sun, and thinking of little Alice, and all her wonderful Adventures, till she too began dreaming after a fashion[1], and this was her dream :

First, she dreamed of little Alice herself once again the tiny hands were clasped[2] upon her knee, and the bright eager eyes were looking up into hers–she could hear the very tones of her voice, and see that queer little toss[3] of her head to keep back the wandering hair that *would* always get into her eyes– and still as she listened, or seemed to listen, the whole place around her became alive with the strange creatures of her little sister's dream.

The long grass rustled[4] at her feet as the White Rabbit hurried by– the frightened Mouse splashed[5] his way through the neighbouring pool– she could hear the rattle of the teacups as the March Hare and his friends shared their never-ending meal, and the shrill voice of the Queen ordering off her unfortunate guests to execution–once more the pig-baby was sneezing on the Duchess's knee, while plates and dishes crashed around it–once more the shriek of the Gryphon, the squeaking of the Lizard's slate-pencil, and the choking of the suppressed guinea-pigs, filled the air, mixed up with the distant sob of the miserable Mock Turtle.

---

1. **fashion** : 1. (ici) *façon* ; **after a fashion,** *à sa façon, tant bien que mal* ; **after the fashion of,** *à la manière de, à la...* ; **in the French fashion,** *à la française.* 2. *mode, vogue* ; **in fashion,** *à la mode, en vogue* ; **the latest fashion,** *la dernière mode* ; **to set the fashion,** *lancer la mode de.* 3. *coutume* ; *habitude.*

2. **to clasp** : 1. (ici) *serrer, étreindre* ; *joindre* **(one's hands)** *les mains.*

Mais sa sœur resta assise sans bouger, telle qu'elle l'avait laissée, la tête appuyée sur une main, contemplant le soleil couchant, et songeant à la petite Alice et à toutes ses merveilleuses Aventures, jusqu'à ce qu'elle aussi commençât à rêver à sa façon, et voici ce que fut son rêve :

D'abord elle rêva de la petite Alice elle-même ; une fois encore, les petites mains furent jointes sur ses genoux et les yeux clairs et passionnés se levèrent et se plongèrent dans les siens et elle put entendre les intonations mêmes de sa voix, et voir ce drôle de petit mouvement de tête qu'elle faisait pour remettre en arrière les cheveux vagabonds qui lui *retombaient* régulièrement sur les yeux... et alors qu'elle écoutait, ou semblait écouter encore, l'espace tout entier autour d'elle s'anima en se peuplant des étranges créatures du rêve de sa petite sœur.

Sous ses pieds, les longues herbes se mirent à bruire au passage précipité du Lapin Blanc... la Souris effrayée traversa la mare avoisinante avec force éclaboussures... elle put entendre le bruit des tasses qui s'entrechoquaient alors que le Lièvre de Mars et ses amis partageaient leur interminable goûter, et la voix criarde de la Reine lançant les ordres d'exécution de ses hôtes infortunés... une fois encore le bébé-cochon éternua sur les genoux de la Duchesse, tandis que plats et assiettes s'écrasaient autour de lui... une fois encore le cri perçant du Griffon, le grincement du crayon d'ardoise du Lézard, et la suffocation des cochons d'Inde étouffés, remplirent l'air, mêlés aux lointains sanglots de la malheureuse Tortue-Façon-Tête de Veau.

---

2. *(s') agrafer, (s')attacher.*
3. **toss** : (ici) *mouvement*, cf. p. 137, 3).
4. **to rustle** : 1; (ici) *bruire, produire un bruissement, un froufrou.* 2. *froisser* (papier).
5. **to splash** : *éclabousser* ; *faire rejaillir des éclaboussures* ; *patauger* ; *clapoter.*

So she sat on, with closed eyes, and half believed herself in Wonderland, though she knew she had but[1] to open them again, and all would change to dull[2] reality–the grass would be only rustling in the wind, and the pool rippling to the waving of the reeds–the rattling teacups would change to tinkling sheep-bells, and the Queen's shrill cries to the voice of the shepherd boy–and the sneeze of the baby, the shriek of the Gryphon, and all the other queer noises, would change (she knew) to the confused clamour of the busy farm-yard–while the lowing[3] of the cattle in the distance would take the place of the Mock Turtle's heavy sobs.

Lastly, she pictured to herself how this same little sister of hers would, in the after-time, be herself a grown woman; and how she would keep, through all her riper years, the simple and loving heart of her childhood; and how she would gather about her other little children, and make *their* eyes bright and eager with many a strange tale, perhaps even with the dream of Wonderland of long ago: and how she would feel with all their simple sorrows, and find a pleasure in all their simple joys, remembering her own child-life, and the happy summer days.

---

1. **but** : 1. (ici) *ne... que, seulement* ; **she is but a child**, *ce n'est qu'une enfant.* 2. *mais.* 3. *si ce n'est, excepté, sauf* ; **none but him**, *personne d'autre que lui.*
2. **dull** : 1. (ici) *ennuyeux, terne, triste.* 2. (temps) *sombre, couvert.* 3. *lent, lourd, obtus.* 4. (son) *étouffé.* 5. (marché) *calme, inactif, déprimé, maussade.* 6. *monotone.*
3. **lowing** : *meuglement* ; **to low**, *meugler.*

Ainsi resta-t-elle assise les yeux fermés, se croyant presque au Pays des Merveilles, bien qu'elle sût qu'elle n'avait qu'à les rouvrir et que tout se transformerait en terne réalité... l'herbe ne bruirait que sous l'effet du vent, la mare ne se riderait que sous l'ondulation des roseaux ... L'entrechoquement des tasses à thé se changerait en un tintement de clochettes à moutons, et les cris perçants de la Reine en voix de berger ... et l'éternuement du bébé, le cri aigu du Griffon, et tous les autres bruits bizarres, se changeraient (elle le savait) en une confuse clameur de basse-cour affairée ... tandis qu'au loin le meuglement du bétail viendrait remplacer les lourds sanglots de la Tortue-Façon-Tête de Veau.

Finalement, elle se traça le portrait de ce que cette même petite fille, sa propre sœur, deviendrait, dans les temps à venir, une fois devenue adulte, et comment elle conserverait, tout au long des années de sa maturité, le cœur simple et affectueux de son enfance et rassemblerait autour d'elle d'autres petits enfants, et emplirait *leurs* yeux plein d'ardeur et de lumière en leur contant maintes étranges histoires, peut-être même celle de ce lointain rêve du Pays des Merveilles ; et comment elle éprouverait avec eux les mêmes chagrins simples, prendrait plaisir aux mêmes jeux innocents, en se souvenant de sa propre vie d'enfant et des heureuses journées d'été.

Fac-similé de la dernière page des *Aventures d'Alice sous terre*, première version d'*Alice au pays des merveilles.*

Then she thought, (in a dream within the dream, as it were,) how this same little Alice would, in the after-time, be herself a grown woman: and how she would keep, through her riper years, the simple and loving heart of her childhood: and how she would gather around her other little children, and make their eyes bright and eager with many a wonderful tale, perhaps even with these very adventures of the little Alice of long ago: and how she would feel with all their simple sorrows, and find a pleasure in all their simple joys, remembering her own child-life, and the happy summer days.

Puis elle imagina (comme dans un rêve à l'intérieur d'un rêve) comment cette même petite Alice deviendrait par la suite une femme adulte ; et comment elle conserverait, tout au long des années de sa maturité, le cœur simple et affectueux de son enfance ; et comment elle rassemblerait autour d'elle d'autres petits enfants, et rendrait leurs yeux brillants et plein d'ardeur avec ces lointaines aventures de la petite Alice ; et comment elle ressentirait tous leur chagrins simples, prendrait plaisir à tous leurs jeux innocents, en se souvenant de sa propre vie d'enfant et des heureuses journées d'été.

INDEX

Les chiffres renvoient aux pages (les mots en **caractères gras** font l'objet d'une note à la page indiquée.)

Pocket, une marque d'Univers Poche, est un éditeur qui s'engage pour la préservation de son environnement et qui utilise du papier fabriqué à partir de bois provenant de forêts gérées de manière responsable.

Imprimé en France par

à Saint-Amand-Montrond (Cher)
en novembre 2014

POCKET – 12, avenue d'Italie – 75627 Paris Cedex 13

N° d'impression : 2012616
Dépôt légal : octobre 2004
Suite du premier tirage : novembre 2014
S20360/06